세종 한국어

익힘책

3B

발간사

최근 전 세계인이 접하는 한류 콘텐츠의 규모가 늘어나면서 한류 문화가 확산되고 있고, 그 결과로 한국어를 배우고자 하는 외국인 학습자의 기세가 매우 놀랍습니다. 세계 곳곳이 코로나19로 침체기를 겪던 2021년에도 한국어능력시험 응시자는 30만 명을 훌쩍 넘었으며, 문화체육관광부의 세종학당은 2007년 13곳에서 2022년에는 84개국 244개소로 증가하였습니다. 이러한 한류의 지속적인 확산을 뒷받침하기 위해서는 한국어교육의 탄탄한 지원이 필요합니다.

한류 콘텐츠와 함께 성장하는 한국어교육의 토대를 다지기 위해, 문화체육관광부와 국립국어원은 2011년 처음 발간된 《세종한국어》를 새로 다듬기로 하였습니다. 2019년부터 기초 연구를 시작한 교재 개정 작업은 3년의 시간을 들여, 2022년 드디어 새로운 《세종한국어》를 펴내게 되었고, 이를 세종학당재단과 함께 알리게 되었습니다.

새롭게 개정된 《세종한국어》는 첫째, 세종학당 곳곳에서 한국어를 배우고자 하는 열의로 가득 찬 외국인 학습자 중심의 교재를 지향하였습니다. 둘째, 현지 세종학당의 학습 환경에 따라 유연하게 활용할 수 있는 맞춤형 교재로 정비되었습니다. 셋째, 한류 콘텐츠에 대한 외국인들의 관심을 내용에 반영함으로써, 한국어 공부에 대한 학습자의 부담을 낮췄습니다. 마지막으로 세종학당을 대표하는 표준 교재로서 구심점 역할을 담당하고, 이후의 한국어 학습을 위한 연계성도 잘 갖추었습니다.

세종학당은 한국어와 한국 문화로 한국과 세계를 연결하는 대한민국 대표의 국외 한국어교육 기관입니다. 국립국어원과 문화체육관광부는 앞으로도 세종학당재단과 협력하여 전 세계에서 한국어를 사랑하는 이들이 꿈을 이룰 수 있도록 지속적인 노력과 지원을 아끼지 않겠습니다.

끝으로 교재 개발을 위해 최선의 노력을 기울여 주신 연구·집필진과 출판사 관계자분들께 진심으로 감사의 말씀을 드립니다. 《세종한국어》의 새로운 출발과 함께 문화체육관광부와 국립국어원, 세종학당재단이 세계로 더 나아갈 수 있도록 여러분의 따뜻한 관심 부탁드립니다.

2022년 8월

국립국어원장 장소원

머리말

세종학당은 한국과 전 세계를 연결하는 한국어·한국 문화 보급 기관입니다. 이번에 개발한 교재는 상호 문화주의에 기반하여 한국어 학습에 대한 학습자의 흥미를 증진함으로써 한국어 의사소통 능력을 향상시키는 것을 목표로 하였습니다. 이를 위해 최근 한국의 상황을 적극적으로 반영하였고 최신 교수법을 구현할 수 있는 새로운 구성과 디자인을 적용하였습니다. 이를 통해 국외 한국어교육의 방향성을 새롭게 제시하고자 하였습니다. 개정 《세종한국어》의 구체적 특징은 다음과 같습니다.

첫째, 세종학당의 표준 교육과정인 가형, 나형, 다형 전 과정에 탄력적으로 활용할 수 있도록 '기본 교재'와 '더하기 활동 교재'로 구분하였습니다. '기본 교재'에는 해당 등급에 필요한 핵심적인 내용을 담았으며, '더하기 활동 교재'에는 심화·확장이 필요한 언어 지식과 의사소통 활동을 담았습니다. 이를 통해 다양한 학습자 특성에 맞게 교재를 선택하여 사용할 수 있도록 하였습니다.

둘째, 효과적 교수·학습을 위해 단계별로 단원 구성을 차별화하였으며 학습 내용 또한 언어 발달 단계에 맞는 교수 학습 내용과 절차를 적용하였습니다. 특히 다양한 삽화와 시각적 자료를 적극적으로 제시하여 한국어 학습의 흥미를 극대화할 수 있도록 노력하였습니다.

셋째, 교재 전반에 생생한 한국 문화 내용을 배치하여 학습자들이 상호 문화적 관점에서 한국 문화를 이해하고, 궁극적으로는 자국의 문화와 한국 문화에 대한 바른 태도를 형성할 수 있도록 하였습니다.

넷째, 교재와 함께 '익힘책', '교사용 지도서', '어휘·표현과 문법', 수업용 PPT와 같은 보조 자료들을 개발하여 교사·학습자의 요구에 맞게 교재를 활용할 수 있도록 하였습니다.

이 교재를 기획하고 개발하는 모든 과정에 함께해 주신 국립국어원과 현지 학당과의 협조와 지원을 아끼지 않으신 세종학당재단, 그리고 학습자들이 재미있게 한국어를 배울 수 있도록 멋지게 디자인해 주신 공앤박출판사에 감사의 마음을 전하고 싶습니다. 끝으로 3년이라는 긴 시간 동안 오로지 한국어교육에 대한 열정으로 좋은 교재를 만들어 내기 위해 애써 주신 모든 집필진께 말로는 다할 수 없는 깊은 감사의 마음을 전합니다.

2022년 8월

저자 대표 이정희

차례

1. 다음을 잘 읽고 알맞은 표현을 골라 쓰세요.

보람을 느끼다 | 시간을 알차게 보내다 | 봉사 활동을 하다 | 어학연수를 하다 | 새로운 것을 깨닫다

1) (　　　　) 어떤 일을 한 후에 좋은 결과가 있어서 만족감을 느껴요.

2) (　　　　) 다른 사람이나 사회를 위한 일을 해요.

3) (　　　　) 시간을 낭비하지 않고 필요한 일을 하면서 보내요.

4) (　　　　) 어떤 일을 한 후에 모르는 것을 새로 알게 돼요.

5) (　　　　) 외국어를 배우기 위해 그 말을 사용하는 나라에 가서 공부해요.

2. 다음을 잘 읽고 알맞은 표현을 골라 글을 완성해 보세요.

뿌듯하다 | 보람을 느끼다 | 봉사 활동 | 잊지 못할 경험을 하다 | 시간을 알차게 보내다

나는 방학에 1) (　　　　　　　　) 하러 요양원에 다녀왔다. 요양원에 계신 할아버지, 할머니들과 같이 산책이나 운동도 하고, 이야기도 들어 드렸다. 방학에는 시간이 여유로워서 봉사 활동을 하면 2) (　　　　　　　　) 수 있다. 봉사 활동을 가기 전에는 걱정도 많았지만 끝나고 나면 기분이 참 3) (　　　　　　). 활동이 끝난 후 짧은 시간 동안 함께 했던 할아버지, 할머니와 헤어지는 것이 좀 아쉬웠다. 하지만 봉사 활동이 끝나면 4) (　　　　　　　　) 수 있을 뿐만 아니라 기억에 오래 남을 5) (　　　　　　　　) 수 있기 때문에 다음에도 또 갈 계획이다.

-아도 / 어도

1. 빈칸에 알맞은 표현을 써 보세요.

가다	가도	앉다	앉아도
먹다		작다	
돕다		보다	
듣다		덥다	
좋다		쓰다	

2. 다음과 같이 문장을 바꿔 보세요.

저는 발음 연습을 많이 해요. 그래도 발음이 좋아지지 않는 것 같아요.
→ 저는 발음 연습을 많이 해도 발음이 좋아지지 않는 것 같아요.

1) 저 옷이 비싸요. 그래도 꼭 사고 싶어요.

→ ....

2) 저는 늦게 자요. 그래도 아침 6시에 꼭 일어나요.

→ ....

3) 약을 먹어요. 그래도 낫지 않아요.

→ ....

4) 길이 막혀요. 그래도 명절에 고향에 갈 거예요.

→ ....

3. 다음 중 빈칸에 들어갈 말로 알맞은 것을 고르세요.

1) 청소를 해도 집이 (   ).
① 깨끗해요 ② 깨끗하지 않아요

2) 음식이 맛이 (   ) 많이 드세요.
① 있어도 ② 없어도

3) 그 사람에게 메시지를 보내도 답장이 (   ).
① 빨리 왔다 ② 안 왔다

4) 날씨가 추워도 눈이 안 오면 여행을 (   ).
① 갈 거예요 ② 안 갈 거예요

-아/어 드리다

1. 빈칸에 알맞은 표현을 써 보세요.

사다	사 드리다	찾다	찾아 드리다
세우다		읽다	
치우다		부르다	
만들다		돕다	
듣다		보다	

2. 다음과 같이 문장을 완성하세요.

가 : 오늘 일이 많이 바쁜데 도와줄 수 있어요?
나 : 네. 도와 드릴게요.

1) 가 : 음식 포장 좀 부탁드려요.

   나 : 네. ______________________.

2) 가 : 이 휴대폰이 마음에 드는데 한번 보여 주시겠어요?

   나 : 네. ______________________.

3) 가 : 제가 짐을 좀 ______________________?

   나 : 네. 좀 들어 주세요. 감사합니다.

4) 가 : 죄송하지만 저희 사진 좀 찍어 주시겠어요?

   나 : 네. ______________________.

3. 다음과 같이 알맞은 것을 골라 바꾸어 써 보세요.

듣다 | 돕다 |  사다 | 찾다 | 부르다

나는 첫 월급을 받은 기념으로 부모님께 선물을 사 드릴 생각이다.

1) 나는 친구의 고민을 3시간이나 ______________________.

2) 나는 지난 주말에 할머니 댁에 가서 이사를 ______________________.

3) 나는 다른 사람이 잃어버린 지갑을 ______________________ 적이 있다.

4) 나는 봉사 활동을 가면 할아버지, 할머니께 노래를 ______________________ 계획이다.

1. 대화를 듣고 들은 내용으로 맞는 것을 고르세요.

01

① 유진은 요즘에 봉사 활동을 하지 않는다.
② 안나는 요양원에서 봉사 활동을 해 본 적이 있다.
③ 유진은 지난 방학 때 요양원에서 봉사 활동을 했다.
④ 안나는 다음 주 주말에 도서관에서 봉사 활동을 할 것이다.

2. 다시 대화를 들으면서 빈칸에 알맞은 말을 써 보세요.

02

안나 : 유진, 요즘도 요양원에 1) ______________________________ ?

유진 : 응. 지난 방학 때부터 시간 될 때마다 가고 있지.

안나 : 다음에 또 언제 가? 나도 같이 가고 싶어서.

유진 : 2) ______________________________. 혹시 전에 봉사 활동 해 본 적 있어?

안나 : 3) ______________________________. 공원 청소나 도서관에서 아이들한테 책 읽어 주는 봉사 활동은 해 봤어. 요양원에서 해 본 적 없으면 안 될까?

유진 : 아니. 요양원에서 4) ______________________________. 할머니, 할아버지들 5) ______________________________.

안나 : 응. 그럼 다음 주 주말에 같이 가자.

3. 대화를 듣고 따라 해 보세요.

03

1) 위의 대화를 보면서 듣고 따라 해 보세요.

2) 위의 대화를 보지 않고 들으면서 따라 해 보세요.

4. 발음과 억양에 유의해서 다음 문장을 듣고 따라 해 보세요.

04

공원 청소나 / 도서관에서 / 아이들한테 / 책 읽어 주는 / 봉사 활동은 해 봤어.

1. 다음 글을 읽고 질문에 답하세요.

여러분의 재능을 기부해 주세요!

안녕하세요? 저희는 교육 봉사 동아리 '동행'입니다. 저희에게 재능을 기부해 주실 분을 찾습니다! 저희는 작은 도시를 찾아가 그곳의 아이들에게 필요한 여러 가지 교육을 하는 봉사 활동을 하고 있습니다. 아이들에게 그림, 음악, 책 읽기, 운동 등 다양한 것들을 가르쳐 주는 일을 합니다. 작은 도시에 사는 아이들은 새로운 것을 배울 기회가 많지 않습니다. 아이들을 위해 여러분이 가진 재능을 기부해 보면 어떨까요?

아주 특별한 능력이나 자격이 없어도 괜찮습니다! '나의 재능은 노는 것이다!'라고 생각하는 분들은 아이들과 함께 놀아 줄 수 있습니다. '나의 재능은 큰 목소리로 노래 부르기다!'라고 생각하는 분들은 아이들에게 신나게 노래를 불러 줄 수 있습니다. 봉사 활동, 절대 어렵지 않습니다! 무엇이든 아이들과 함께 할 수 있는 일이라면 좋습니다. 아이들과 함께 잊지 못할 경험을 만들어 보지 않겠습니까? 여러분의 소중한 재능을 기다리고 있습니다! 재능 기부를 해 주실 분은 아래 이메일이나 전화로 연락 주세요.

– 봉사 동아리 '동행'. (gachigayo@koreakorea.kr / 010-××××-××××)

1) 윗글의 내용과 같은 것을 고르세요.

① 이 동아리는 작은 도시에 가서 아이들과 함께 시간을 보낸다.
② 이 동아리는 아이들에게 공부를 가르쳐 줄 사람을 구하고 있다.
③ 이 동아리는 작은 도시에 사는 아이들에게 장학금을 주려고 한다.
④ 이 동아리에서는 특별한 자격이 있는 사람만 재능 기부를 할 수 있다.

2) 이 글을 쓴 이유는 뭐예요?

① 봉사 활동에 필요한 돈을 모으려고
② 봉사 활동을 해야 하는 이유를 말하려고
③ 봉사 활동을 하러 갈 사람을 모집하려고
④ 봉사 활동을 하기 위해 필요한 것을 알려 주려고

3) 새로 알게 된 어휘와 문법에 표시하면서 윗글을 다시 읽어 보세요.

1. 앞에서 읽은 글의 내용을 떠올려 보세요. 읽은 내용을 간단히 정리해 보세요.

2. 다음의 ( ) 속 핵심어를 참고하여 빈칸에 알맞은 문장을 써서 글을 완성해 보세요.

여러분의 재능을 기부해 주세요!

안녕하세요? 저희는 교육 봉사 동아리 '동행'입니다. 1) ______________________________! (재능 기부, 찾다) 저희는 작은 도시를 찾아가 그곳의 2) ______________________________. (아이들, 여러 가지 교육, 봉사활동) 아이들에게 그림, 음악, 책 읽기, 운동 등 다양한 것들을 가르쳐 주는 일을 합니다. 3) ______________________________. (작은 도시, 아이들, 배울 기회) 아이들을 위해 여러분이 가진 재능을 기부해 보면 어떨까요? 4) ______________________________! (특별한 능력, 자격, 없다) '나의 재능은 노는 것이다!'라고 생각하는 분들은 아이들과 함께 놀아 줄 수 있습니다. '나의 재능은 큰 목소리로 노래 부르기다!'라고 생각하는 분들은 아이들에게 신나게 노래를 불러 줄 수 있습니다. 봉사 활동, 절대 어렵지 않습니다! 무엇이든 아이들과 함께 할 수 있는 일이라면 좋습니다. 5) ______________________________? (아이들과 함께, 잊지 못할 경험, 만들다) 여러분의 소중한 재능을 기다리고 있습니다! 재능 기부를 해 주실 분은 아래 이메일이나 전화로 연락 주세요.

- 봉사 동아리 '동행'. (gachigayo@koreakorea.kr / 010-××××-××××)

1. 다음을 잘 읽고 알맞은 표현을 골라 쓰세요.

표를 예매하다	콘서트	환상적이다	매진되다	감동적이다

1) ( ) 물건이나 표가 모두 팔려서 살 수 없어요.
2) ( ) 어떤 느낌이나 상황이 믿을 수 없을 만큼 놀라워요.
3) ( ) 악기를 연주하거나 노래를 하여 사람들에게 들려줘요.
4) ( ) 어떤 상황의 분위기나 느낌이 강해서 마음이 움직여요.
5) ( ) 차표나 입장권 등을 미리 사 놓아요.

2. 다음을 잘 읽고 알맞은 표현을 골라 글을 완성해 보세요.

팬클럽에 가입하다	콘서트	감동적이다	표가 매진되다	환상적이다

나는 지난 주말에 유새이 1) (   ) 갔다 왔다. 콘서트를 한다는 소식을 들었을 때 티켓을 구하기가 쉽지 않을 것 같아서 걱정했다. 하지만 나는 미리 2) (   ) 덕분에 어렵지 않게 티켓을 구했다. 내가 티켓을 사고 나서 곧바로 3) (   ) 이야기를 들었다. 유새이의 콘서트는 정말 4) (   ). 내가 정말 사랑하는 유새이를 실제로 보니 정말 꿈만 같았다. 마지막에 다 같이 노래를 부를 때는 눈물이 날 만큼 5) (   ). 이제부터 팬클럽 활동을 더 열심히 해야겠다고 생각했다.

-(으)ㄹ까 봐

1. 빈칸에 알맞은 표현을 써 보세요.

입다	입을까 봐	보다	볼까 봐
읽다		쉬다	
예쁘다		크다	
작다		아프다	
맵다		살다	

2. 다음과 같이 문장을 바꿔 보세요.

> 시간이 너무 늦어서 주무실 것 같아서 어머니께 전화를 안 했어요.
> → 시간이 너무 늦어서 주무실까 봐 어머니께 전화를 안 했어요.

1) 비행기를 못 탈 것 같아서 새벽에 일찍 출발했어요.

→ ....

2) 길이 막힐 것 같아서 지하철을 타고 왔어요.

→ ....

3) 자격증 시험을 보는데 떨어질 것 같아서 긴장이 돼요.

→ ....

4) 눈이 많이 오면 길이 얼어서 미끄러울 것 같아서 걱정이 돼요.

→ ....

3. 다음과 같이 알맞은 것을 고르세요.

> 가: 주노 씨는 운전을 해요?
> 나: (사고가 안 날까 봐 / 사고가 날까 봐) 무서워서 운전을 못 해요.

1) 가: 마리 씨는 김치를 잘 먹어요?

나: 저는 김치가 너무 (매울까 봐 / 맛있을까 봐) 못 먹겠어요.

2) 가: 오늘 저녁은 뭐 먹을까요?

나: 저는 살이 (빠질까 봐 / 찔까 봐) 걱정이 돼서 안 먹으려고요.

3) 가: 생각보다 일찍 도착했네요. 어떻게 왔어요?

나: 길이 막혀서 (늦을까 봐 / 빨리 올까 봐) 택시를 탔어요.

4) 가: 어제 늦게까지 공부해서 너무 피곤해요.

나: 저도요. (수업 시간에 졸까 봐 / 수업이 어려울까 봐) 커피를 마시고 있어요.

-(으)ㄹ 텐데

1. 빈칸에 알맞은 표현을 써 보세요.

먹다	먹을 텐데	가다	갈 텐데
읽다		배우다	
만들다		가르치다	
덥다		예쁘다	
있다		없다	

2. 다음과 같이 문장을 바꿔 보세요.

일이 많아서 피곤할 것 같아요. 빨리 쉬세요.
→ 일이 많아서 피곤할 텐데 빨리 쉬세요.

1) 내일 날씨가 추울 것 같아요. 그러니까 따뜻하게 입으세요.
→ ______________________.

2) 박 선생님은 오전에 바쁘실 것 같아요. 그러니까 내일 찾아가 보세요.
→ ______________________.

3) 콘서트 티켓을 구하기 힘들 것 같아요. 그래서 걱정이에요.
→ ______________________.

4) 안나 씨는 도서관에 있을 것 같아요. 그러니까 도서관에 가 보세요.
→ ______________________.

3. 다음과 같이 '-(으)ㄹ 텐데'와 '-(으)ㄹ 테니까'를 사용한 문장 중 맞는 것을 고르세요.

잠을 못 자서 피곤할 텐데 빨리 안 자고 뭐 해요? (○)
잠을 못 자서 피곤할 테니까 빨리 안 자고 뭐 해요? (×)

1) 손님들이 곧 도착할 텐데 시간이 없어서 준비를 다 못 했어요. (   )
손님들이 곧 도착할 테니까 시간이 없어서 준비를 다 못 했어요. (   )

2) 공부도 하고 아르바이트도 하면 힘들 텐데 성적이 좋네요. (   )
공부도 하고 아르바이트도 하면 힘들 테니까 성적이 좋네요. (   )

3) 마리 씨는 매운 음식을 못 먹을 텐데 괜찮을까요? (   )
마리 씨는 매운 음식을 못 먹을 테니까 괜찮을까요? (   )

4) 피아노는 내가 칠 텐데 네가 노래 부를래? (   )
피아노는 내가 칠 테니까 네가 노래 부를래? (   )

1. 대화를 듣고 들은 내용으로 맞는 것을 고르세요.

01

① 수지는 콘서트 티켓을 쉽게 구했다.
② 수지는 지난주에 콘서트에 다녀왔다.
③ 안나는 지난주에 팬 사인회에 다녀왔다.
④ 안나는 콘서트 티켓이 매진이 되어서 슬펐다.

2. 다시 대화를 들으면서 빈칸에 알맞은 말을 써 보세요.

02

수지 : 안나, 나 지난주에 드디어 유새이 콘서트에 다녀왔어.
안나 : 와! 정말? 근데 티켓을 구하는 게 1) ……………………
수지 너는 어떻게 구했어?
수지 : 말도 마. 2) …………………… 엄청 걱정했어. 가족들하고 친구들한테 부탁해서 정말 힘들게 예매했어. 티켓을 사자마자 3) …………………… . 얼마나 다행인지 몰라.
안나 : 정말 대단하네. 그래서 콘서트는 어땠어?
수지 : 실제로 보니까 무대가 더 4) …………………… . 마지막에 다 같이 노래를 부를 때는 눈물도 조금 나더라고.
안나 : 정말 좋았나 보네. 다음에도 또 갈 거야?
수지 : 응! 그럼. 다음에는 5) …………………… .
얼굴을 가까이에서 볼 수 있다고 하더라. 사진도 찍을 수 있고.

3. 대화를 듣고 따라 해 보세요.

03

1) 위의 대화를 보면서 듣고 따라 해 보세요.

2) 위의 대화를 보지 않고 들으면서 따라 해 보세요.

4. 발음과 억양에 유의해서 다음 문장을 듣고 따라 해 보세요.

04

다음에는 / 팬 사인회에도 / 가 보려고.
얼굴을 / 가까이에서 / 볼 수 있다고 하더라.

1. 다음 글을 읽고 질문에 답하세요.

이번 주말에 나는 바자회 구경을 하러 갈 계획이다. 바자회는 필요하지 않은 물건을 기부하고, 기부한 물건을 다른 사람들에게 판매하여 생긴 수익금을 불우 이웃 돕기에 사용하기 위해 여는 행사다. 그래서 나는 시간이 있을 때마다 바자회에 참여하려고 노력한다. 그런데 이번 바자회는 조금 특별하다. 배우 김민호 씨가 바자회에 직접 참여하기 때문이다. 김민호 씨가 기부한 물건도 살 수 있고 직접 만날 수도 있다. 또 김민호 씨와 함께 팬클럽 회원들도 여러 물건을 기부해 주어서 더 좋다. 그리고 이번 바자회는 환경을 생각하는 캠페인도 함께 하고 있다. 이번에는 일회용 봉투를 사용하지 않는 캠페인을 한다. 그래서 장바구니를 준비해야 한다. 바자회에 가면 좋은 물건도 싸게 사고 유명한 배우도 만나고 불우 이웃도 도울 수 있다. 그래서 나는 이번 바자회가 기대된다.

1) 윗글의 내용과 같은 것을 고르세요.

① 바자회에 참여하려면 팬클럽에 가입해야 한다.
② 바자회에 참여한 사람들에게 일회용 봉투를 준다.
③ 팬클럽 회원들은 김민호 씨를 위해서 바자회를 한다.
④ 배우 김민호 씨는 불우 이웃 돕기 바자회에 물건을 기부한다.

2) 바자회에서 일회용 봉투를 사용하지 않는 캠페인을 하는 이유는 뭐예요?

① 환경을 생각해서
② 가방을 선물로 줘서
③ 팬클럽 회원 가입을 하기 위해서
④ 사람들을 많이 참여시키기 위해서

2. 새로 알게 된 어휘와 문법에 표시하면서 윗글을 다시 읽어 보세요.

1. 앞에서 읽은 글의 내용을 떠올려 보세요. 읽은 내용을 간단히 정리해 보세요.

2. 다음의 (   ) 속 핵심어를 참고하여 빈칸에 알맞은 문장을 써서 글을 완성해 보세요.

이번 주말에 나는 1) ______________________. (바자회, 구경하다, 계획) 바자회는 필요하지 않은 물건을 기부하고, 기부한 물건은 다른 사람들에게 판매하여 생긴 수익금을 불우 이웃 돕기에 사용하기 위해 여는 행사다. 2) 그래서 나는 ______________________. (시간이 있다, 바자회, 참여하다, 노력하다) 그런데 이번 바자회는 조금 더 특별하다. 배우 김민호 씨가 바자회에 참여하기 때문이다. 김민호 씨가 3) ______________________. (기부하다, 물건, 사다, 직접, 만나다) 또 김민호 씨와 함께 팬클럽 회원들도 여러 물건을 기부해 주어서 더 좋다. 그리고 이번 바자회는 4) ______________________. (환경, 생각하다, 캠페인, 함께 하다) 이번에는 일회용 봉투를 사용하지 않는 캠페인을 한다. 그래서 장바구니를 준비해야 한다. 바자회에 가면 좋은 물건도 싸게 사고 유명한 배우도 만나고 불우 이웃도 도울 수 있다. 5) 그래서 나는 ______________________. (바자회, 기대)

1. 다음을 잘 읽고 알맞은 표현을 골라 쓰세요.

바삭하다	속이 쓰리다	담백하다	매콤하다	속이 편안하다

1) (   ) 속이 아픈 느낌이 있어요.

2) (   ) 냄새나 맛이 약간 매워요.

3) (   ) 과자나 치킨처럼 기름에 튀긴 음식을 먹을 때의 느낌이에요.

4) (   ) 음식이 느끼하지 않고 산뜻해요.

5) (   ) 부드러운 음식을 먹으면 배가 아프지 않아요.

2. 다음을 잘 읽고 알맞은 표현을 골라 글을 완성해 보세요.

속이 쓰리다	얼큰하다	입안이 얼얼하다	맵다	속이 편안하다

나는 친구와 매운 짬뽕을 먹으러 갔다. 요즘 유행하는 새로운 스타일의 짬뽕이었는데 좀 1) (   ). 친구에게 맵지 않냐고 물어봤는데, 친구는 국물이 2) (   ) 좋다고 했다. 나는 매운 음식을 먹으면 3) (   ) 잘 먹지 못한다. 그래서 나는 4) (   ) 것 같은 부드러운 음식을 다시 주문했다. 나는 친구가 매운 음식을 이렇게까지 잘 먹는지 몰랐다. 다음에 만날 때는 5) (   ) 정도로 매운 한국 라면을 선물해야겠다.

-거든요

1. 다음과 같이 문장을 바꿔 보세요.

> 지금은 배가 안 고파요. 왜냐하면 조금 전에 빵을 먹었어요.
> → 지금은 배가 안 고파요. 조금 전에 빵을 먹었거든요.

1) 아이스크림은 하루에 한 개만 먹는 게 좋아요. 왜냐하면 많이 먹으면 배가 아파요.

→ ....

2) 한국어 발음이 좋아졌어요. 왜냐하면 하루에 한 시간씩 연습했어요.

→ ....

3) 오늘은 아침을 못 먹었어요. 왜냐하면 늦잠을 잤어요.

→ ....

4) 저는 커피를 마시지 않을 거예요. 왜냐하면 커피를 마시면 밤에 잠을 잘 못 자요.

→ ....

2. 다음과 같이 '-거든요'와 '-잖아요' 중 알맞은 것을 사용해서 문장을 완성해 보세요.

> 다른 약속이 있다 → 제가 다른 약속이 있거든요. 다음에 영화 보러 같이 가요.
> 오늘 날씨가 춥다 → 오늘 날씨가 춥잖아요. 따뜻한 옷을 입고 가세요.

1) 상황 : 친구가 같이 저녁을 먹자고 해요. 하지만 내일 중요한 시험이 있어요.

→ 오늘 저는 도서관에서 더 공부해야 해요. ....

2) 상황 : 주무시는 할머니 옆에서 시끄럽게 놀고 있는 아이에게 엄마가 말해요.

→ .... 조용히 해.

3) 상황 : 동생과 같이 아버지의 생신 선물을 사려고 해요.

→ 내일 .... 아버지께 무슨 선물을 드리는 게 좋을까?

4) 상황 : 저는 내 이야기를 잘 들어 줘서 안나 씨를 좋아해요.

→ 저는 안나 씨를 좋아해요. 왜냐하면 제 이야기를 ....

-는구나 / 구나

1. 빈칸에 알맞은 표현을 써 보세요.

가다	가는구나	보다	보는구나
크다		먹다	
바쁘다		작다	
많다		듣다	
팔다		춥다	

2. 다음과 같이 문장을 완성하세요.

상황 : 한국 음식을 정말 좋아하는 수지를 보면서
→ 수지는 한국 음식을 정말 좋아하는구나.

1) 상황 : 맑고 파란 하늘을 보면서

→ .

2) 상황 : 추운 교실에 앉아서

→ .

3) 상황 : 운동을 좋아하는 친구에게

→ .

4) 상황 : 케이팝(K-POP) 가수 공연을 보면서

→ .

3. 다음과 같이 맞으면 ○, 틀리면 × 표시를 해 보세요.

떡볶이는 정말 매운 음식이구나. (○)
나는 주말에 친구를 만나는구나. (×)

1) 내가 어제 할 일이 많구나. ( )

2) 내가 잘 몰랐구나. ( )

3) 주노가 지난 주말에 친구를 만나는구나. ( )

4) 오늘 옆 반 수업이 늦게 끝나는구나. ( )

1.

대화를 듣고 들은 내용으로 맞는 것을 고르세요.

① 두 사람은 비빔밥을 먹고 있다.

② 남자의 고향에는 매운 음식이 없다.

③ 두 사람은 같이 국물 떡볶이를 먹었다.

④ 여자는 매운 음식을 좋아해서 자주 먹는다.

2.

다시 대화를 들으면서 빈칸에 알맞은 말을 써 보세요.

마리 : 주노, 이 비빔밥 좀 매운 것 같은데 넌 괜찮아?

주노 : 음. 그래? 난 하나도 1) ______________________________ ?

마리 : 너는 2) ______________________________ 나는 매운 음식을 좋아하기는 하지만 먹고 난 후에는 3) ______________________________ 자주 먹지는 않거든.

주노 : 나는 이 정도는 괜찮아. 우리 고향 음식 중에 더 매운 음식도 많거든.

마리 : 그래? 그럼 다음에 만날 때 4) ______________________________ 같이 먹으러 가자. 요즘 유행하는 국물 떡볶이 어때?

주노 : 아, 나 그거 뭔지 알아. 인터넷에서 꽤 유명하잖아. 나도 5) ______________________________ 어떤 맛일까 궁금해. 잘됐다. 같이 먹으러 가자.

3.

대화를 듣고 따라 해 보세요.

1) 위의 대화를 보면서 듣고 따라 해 보세요.

2) 위의 대화를 보지 않고 들으면서 따라 해 보세요.

4.

발음과 억양에 유의해서 다음 문장을 듣고 따라 해 보세요.

음. 그래? / 난 하나도 안 매운데?

그럼 / 다음에 만날 때 / 얼큰한 음식을 / 같이 먹으러 가자.

1. 다음 글을 읽고 질문에 답하세요.

한국인과 한국에 살고 있는 외국인을 대상으로 좋아하는 한국 음식에 대해 설문 조사를 실시했다. 먼저 한국인이 좋아하는 음식을 순서대로 살펴보면, 1위는 김치, 2위는 된장찌개, 3위는 불고기, 4위는 비빔밥, 5위는 잡채 순이었다. 외국인이 좋아하는 한국 음식 중 1위는 삼겹살, 2위는 김치, 3위는 떡볶이, 4위는 비빔밥, 5위는 삼계탕이었다. 이 조사를 통해 한국인과 외국인 모두 김치를 좋아한다는 것을 알 수 있었다. 김치는 한국의 전통 음식으로 지역마다 김치에 들어가는 재료나 만드는 방법이 다양하다. 그래서 한국에서는 다양한 김치를 맛볼 수 있다. 또한 여러 가지 채소와 밥, 그리고 고추장을 넣고 함께 섞어 먹는 비빔밥도 인기가 있었다. 비빔밥은 건강 음식으로 옛날부터 지금까지 한국 사람들이 사랑하는 음식 중 하나이다. 또한 김치, 떡볶이, 비빔밥은 모두 매콤한 양념을 사용하는 음식인데 외국인들도 매콤한 음식을 좋아한다는 것을 알 수 있었다.

1) 윗글의 내용과 다른 것을 고르세요.

① 한국 사람들이 가장 좋아하는 한국 음식은 김치이다.
② 김치는 한국인과 외국인 모두 좋아하는 음식 중 하나이다.
③ 외국인들은 떡볶이처럼 매운 음식은 별로 좋아하지 않는다.
④ 외국인들은 삼겹살을 가장 좋아하는 한국 음식이라고 말했다.

2) 한국인과 외국인 모두 좋아하는 한국 음식은 뭐예요?

① 잡채, 떡볶이
② 김치, 비빔밥
③ 비빔밥, 삼겹살
④ 된장찌개, 삼계탕

2. 새로 알게 된 어휘와 문법에 표시하면서 윗글을 다시 읽어 보세요.

1. 앞에서 읽은 글의 내용을 떠올려 보세요. 읽은 내용을 간단히 정리해 보세요.

....

....

....

....

....

....

....

2. 다음의 (　　　) 속 핵심어를 참고하여 빈칸에 알맞은 문장을 써서 글을 완성해 보세요.

한국인과 한국에 살고 있는 외국인을 대상으로 1) .... (좋아하는 한국 음식, 설문 조사, 실시하다) 먼저 한국인이 좋아하는 음식을 순서대로 살펴보면 1위는 김치, 2위는 된장찌개, 3위는 불고기, 4위는 비빔밥, 5위는 잡채 순이었다. 외국인이 좋아하는 한국 음식 중 1위는 삼겹살, 2위는 김치, 3위는 떡볶이, 4위는 비빔밥, 5위는 삼계탕이었다. 이 조사를 통해 2) .... (한국인과 외국인, 김치, 좋아하다, 알다) 김치는 한국의 전통 음식으로 3) .... (지역, 재료, 만드는 방법, 다양하다) 그래서 한국에서는 4) .... (다양하다, 김치, 맛보다) 또한 여러 가지 채소와 밥, 그리고 고추장을 넣고 함께 섞어 먹는 비빔밥도 인기가 있었다. 비빔밥은 건강 음식으로 옛날부터 지금까지 한국 사람들이 사랑하는 음식 중 하나이다. 또한 김치, 떡볶이, 비빔밥은 모두 매콤한 양념을 사용하는 음식인데 5) .... (외국인, 매콤한 음식, 좋아한다, 알다)

1. 사진과 알맞은 어휘를 선으로 잇고, 알맞은 어휘를 넣어 문장을 완성해 보세요.

1) 2)  3)  4)  5) 

깎다	튀기다	삶다	굽다	찌다

1) 사과는 껍질을 ______________ 먹는 것보다 껍질째로 먹는 것이 건강에 좋아요.
2) 달걀과 밀가루, 버터, 우유를 섞어서 빵을 ______________ 것이 제 취미예요.
3) 다이어트를 할 때는 ______________ 달걀을 자주 먹어요.
4) 저는 고기만두보다 김치 만두를 ______________ 먹는 것을 좋아해요.
5) 떡볶이를 먹을 때 바삭바삭하게 ______________ 음식을 같이 먹으면 더 맛있어요.

2. 다음을 잘 읽고 알맞은 표현을 골라 글을 완성해 보세요.

껍질을 벗기다	삶다	튀기다	끓이다	썰어 놓다

한국 학생들은 떡볶이를 참 좋아한다. 그래서 오늘은 친구와 떡볶이를 만들어 먹기로 했다. 떡볶이를 만들기 전에 떡은 물에 잠시 담가 놓아야 한다. 그다음에 양파의 1) (   ), 파, 양배추 등 채소를 씻어서 2) (   ) 한다. 그다음에는 떡과 고추장과 물을 넣고 3) (   ) 된다. 채소는 나중에 넣는데, 그 이유는 먼저 넣으면 너무 많이 익어서 맛이 없어지기 때문이다. 매운 떡볶이를 좋아하는 사람은 매운 고추를 썰어서 넣어도 된다. 또 취향에 따라 오징어나 고구마를 기름에 4) (   ) 만든 오징어튀김이나 고구마튀김, 어묵, 5) (   ) 달걀 등을 넣어도 맛있다.

-아/어 놓다

1. 빈칸에 알맞은 표현을 써 보세요.

사다	사 놓다	켜다	켜 놓다
보다		고치다	
모으다		만들다	
찾다		굽다	
닫다		짓다	

2. 다음과 같이 문장을 바꿔 보세요.

고향에 갔다 오려고 비행기표를 미리 예약했어요.
→ 고향에 갔다 오려고 비행기표를 예약해 놓았어요.

1) 유진 씨가 알려 준 요리 방법을 공책에 썼어요.

→ .

2) 등산 갈 때 필요해서 어제 친구한테서 카메라를 빌렸어요.

→ .

3) 방이 더워서 창문을 열고 다시 닫지 않았어요.

→ .

4) 다음 달에 태어날 아이의 이름을 미리 지었어요.

→ .

3. 다음과 같이 맞으면 ○, 틀리면 × 표시를 해 보세요.

집 앞에 자전거를 세워 놓으세요. (○)
불고기를 만들려고 하는데 아직 소고기를 사지 않아 놓았어요. (×)

1) 아직 어머니께서 김밥을 만들어 안 놓으셨어요. ( )

2) 어젯밤에 휴대폰을 침대 옆에 놓아 놓았어요. ( )

3) 내일 모임은 학교 앞 식당 2층으로 예약해 놓았습니다. ( )

4) 집에 손님이 올 거예요. 그래서 집을 정리해 놓고 음식도 준비했어요. ( )

-(으)ㄴ 다음에

1. 빈칸에 알맞은 표현을 써 보세요.

사다	산 다음에	볶다	볶은 다음에
보다		먹다	
쓰다		만들다	
만나다		굽다	
청소하다		공부하다	

2. 다음과 같이 문장을 바꿔 보세요.

과제를 다 한 후에 외출을 할 거예요.
→ 과제를 다 한 다음에 외출을 할 거예요.

1) 장마가 끝난 후에는 날씨가 많이 더울 거예요.

→ .

2) 학교를 졸업한 후에 바로 취직을 했어요.

→ .

3) 저는 퇴근하고 한국어를 배우러 학원에 가요.

→ .

4) 학교가 끝나고 아르바이트를 하러 가야 돼요.

→ .

3. 다음과 같이 맞으면 ○, 틀리면 × 표시를 해 보세요.

물이 끓은 다음에 라면을 넣으세요. (○)
샤워 다음에 식사를 합시다. (×)

1) 결혼한 다음에 2년이 됐어요. (　　)

2) 준비 운동을 한 다음에 수영을 하세요. (　　)

3) 책을 읽은 다음에 토론을 할 거예요. (　　)

4) 날씨가 추운 다음에 눈이 올 거예요. (　　)

1. 대화를 듣고 들은 내용으로 맞는 것을 고르세요.

01

① 유진은 김치를 잘게 썰었다.
② 유진은 매운 음식을 좋아하지 않는다.
③ 두 사람은 밥을 먹고 과제를 할 것이다.
④ 두 사람은 라면 대신 김치볶음밥을 만들고 있다.

2. 다시 대화를 들으면서 빈칸에 알맞은 말을 써 보세요.

02

수진 : 유진, 우리 과제도 다 했고 배도 좀 고픈데 1) ______________________________ ?

유진 : 그래. 좋아. 뭐부터 하면 돼?

수진 : 먼저 2) ______________________________. 그다음에 양파하고 햄도 썰어 줄래? 나는 라면을 끓일게.

유진 : 다 썰었어. 이제 프라이팬에다가 3) ______________________________ ?

수진 : 먼저 잘게 썬 김치와 양파를 넣고 4) ______________________________ 밥을 넣으면 돼. 그다음에 햄을 넣고 볶자.

유진 : 알겠어. 너는 라면은 다 끓였어? 나는 5) ______________________________ 을 좋아하니까 고추도 넣자.

수진 : 응. 그럼 더 맛있겠다. 빨리 먹고 싶다.

3. 대화를 듣고 따라 해 보세요.

03

1) 위의 대화를 보면서 듣고 따라 해 보세요.

2) 위의 대화를 보지 않고 들으면서 따라 해 보세요.

4. 발음과 억양에 유의해서 다음 문장을 듣고 따라 해 보세요.

04

나는/라면을 끓일게.

1. 다음 글을 읽고 질문에 답하세요.

오늘은 비빔밥 만드는 방법을 소개할게요. 비빔밥은 여러 가지 볶은 채소와 밥, 그리고 고추장을 넣고 함께 섞어서 먹는 음식인데요. 채소를 많이 먹을 수 있기 때문에 건강에도 좋아서 비빔밥을 좋아하는 사람들이 많아요. 비빔밥은 불고기를 넣으면 불고기 비빔밥, 나물을 넣으면 나물 비빔밥이라고 불러요. 넣는 재료에 따라서 이름을 붙이면 되니까 좋아하는 음식을 넣어서 비빔밥을 만들어 먹으면 돼요.

비빔밥을 만드는 방법은 아주 간단해서 누구나 쉽게 만들어 먹을 수 있어요. 그래서 많은 사람들이 좋아해요. 쌀을 씻어서 밥을 지은 다음에 양파, 당근, 호박, 버섯 등의 재료를 채를 썰어 놓아요. 프라이팬에 썰어 놓은 재료들을 넣어 볶고 소금도 조금 넣어서 간도 맞춰요. 따뜻한 밥 위에 볶은 채소를 예쁘게 담아 올려요. 달걀 프라이를 해서 올리면 더 맛있으면서 보기에도 좋은 비빔밥을 만들 수 있어요. 그다음에는 원하는 만큼 고추장을 넣어서 맛있게 비벼 먹으면 돼요! 물론 매운 음식을 안 좋아하면 고추장은 안 넣어도 되고요. 어때요? 별로 어렵지 않지요?

1) 윗글의 내용과 다른 것을 고르세요.

① 비빔밥에는 채소가 많이 들어간다.
② 비빔밥에 불고기나 나물을 넣어 먹을 수 있다.
③ 비빔밥은 넣는 재료에 따라서 이름을 붙이면 된다.
④ 준비할 재료가 많기 때문에 비빔밥은 만들기 쉽지 않다.

2) 사람들이 비빔밥을 좋아하는 이유가 아닌 것은 뭐예요?

① 건강에 좋아서
② 고추장이 들어가서
③ 만드는 방법이 간단해서
④ 채소를 많이 먹을 수 있어서

2. 새로 알게 된 어휘와 문법에 표시하면서 윗글을 다시 읽어 보세요.

1. 앞에서 읽은 글의 내용을 떠올려 보세요. 읽은 내용을 간단히 정리해 보세요.

2. 다음의 (   ) 속 핵심어를 참고하여 빈칸에 알맞은 문장을 써서 글을 완성해 보세요.

오늘은 비빔밥 만드는 방법을 소개할게요. 비빔밥은 여러 가지 볶은 채소와 밥, 그리고 1) ______________. (고추장, 넣다, 함께 섞어서 먹다) 음식인데요. 채소를 많이 먹을 수 있기 때문에 건강에도 좋아서 비빔밥을 좋아하는 사람들이 많아요. 비빔밥은 불고기를 넣으면 불고기 비빔밥, 나물을 넣으면 나물 비빔밥이라고 불러요. 2) ______________ (넣는 재료, 따르다, 이름, 붙이다) 좋아하는 음식을 넣어서 비빔밥을 만들어 먹으면 돼요.

3) ______________. (비빔밥을 만들다, 간단하다, 누구나 쉽게 만들다) 그래서 많은 사람들이 좋아해요. 4) ______________ (쌀, 씻다, 밥, 짓다) 다음에 양파, 당근, 호박, 버섯 등의 재료를 채를 썰어 놓아요. 프라이팬에 썰어 놓은 재료들을 넣어 볶고 소금도 조금 넣어서 간도 맞춰요. 따뜻한 밥 위에 볶은 채소를 예쁘게 담아 올려요. 달걀프라이를 해서 올리면 더 맛있으면서 보기에도 좋은 비빔밥을 만들 수 있어요. 그다음에는 원하는 만큼 고추장을 넣어서 맛있게 비벼 먹으면 돼요! 물론 5) ______________. (매운 음식, 안 좋아하다, 고추장, 안 넣다) 어때요? 별로 어렵지 않지요?

1. 다음을 잘 읽고 알맞은 표현을 골라 쓰세요.

깜빡하다	잃어버리다	깨뜨리다	딴생각을 하다	지각하다

1) ( ) 정해진 시간보다 늦게 도착했어요.

2) ( ) 어떤 일을 기억하지 못해요.

3) ( ) 어떤 일을 하면서 다른 일에 대해 생각해요.

4) ( ) 물건이 어디에 있는지 찾을 수 없어요.

5) ( ) 물건을 강하게 쳐서 여러 조각이 나게 했어요.

2. 다음을 잘 읽고 알맞은 표현을 골라 글을 완성해 보세요.

깜빡하다	지각을 하다	놓고 오다	한눈을 팔다	늦잠을 자다

오늘은 주노 씨가 회의 때 중요한 발표를 하는 날이다. 하지만 주노 씨는 회의 준비 때문에 어제 늦게까지 일했고, 결국 아침에 1) ( ). 회사에 급하게 왔지만 2) ( ). 그런데 주노 씨는 회의에 들어가기 전에 발표할 자료를 3) ( ) 집에 4) ( ) 생각났다. 주노 씨는 팀장님께 말씀을 드리고 다시 집에 다녀왔다. 회의 시간에는 5) ( ) 팀장님의 질문에 대답을 잘 하지 못했다. 결국 주노 씨는 회의가 끝난 후에 팀장님에게 많이 혼났다.

-자마자

1. 다음과 같이 문장을 바꿔 보세요.

> 집에 들어왔어요. 그리고 바로 에어컨을 켰어요.
> → 집에 들어오자마자 에어컨을 켰어요.

1) 교통사고가 난 것을 봤어요. 그래서 바로 경찰에 신고했어요.

→ ....

2) 매일 아침에 일어나요. 그리고 바로 샤워를 해요.

→ ....

3) 월급을 받았어요. 그래서 바로 백화점에 쇼핑하러 갔어요.

→ ....

4) 퇴근하고 집에 왔어요. 바로 잠이 들었어요.

→ ....

5) 동생은 밥을 먹었어요. 그리고 바로 누워서 잠이 들었어요.

→ ....

2. 다음과 같이 알맞은 것을 골라 바꾸어 써 보세요.

(가다)	먹다	열다	일어나다	추워지다	어두워지다

> 집에 가자마자 손을 씻어요.

1) 아침에 .... 학교에 가야 해요.

2) 밥을 다 .... 운동을 하면 안 돼요.

3) 마트 문을 .... 사람들이 뛰어갔어요.

4) 날이 .... 거리가 조용해요.

5) 날씨가 .... 감기에 걸렸어요.

-아/어 버리다

1. 빈칸에 알맞은 표현을 써 보세요.

가다	가 버리다	끊다	끊어 버리다
먹다		바르다	
만들다		하다	
듣다		잡다	
눕다		앉다	

2. 다음과 같이 문장을 바꿔 보세요.

배가 너무 고팠어요. 그래서 밥을 두 그릇이나 먹었어요.
→ 배가 너무 고파서 밥을 두 그릇이나 먹어 버렸어요.

1) 늦잠을 잤어요. 그래서 학교에 늦었어요.

→ ______________________________.

2) 파일을 저장하지 않았는데 컴퓨터가 꺼졌어요. 그래서 파일이 지워졌어요.

→ ______________________________.

3) 동생과 이야기하다가 화가 많이 났어요. 그래서 방에서 나왔어요.

→ ______________________________.

4) 다리가 아픈데 의자가 없어요. 그래서 길거리에 앉았어요.

→ ______________________________.

3. 질문에 대한 답으로 알맞은 것을 골라 보세요.

1) 가: 담배는 몸에 안 좋아요. 이제는 담배를 끊었지요?
나: (그럼요. 끊어 버렸어요. / 아니요. 아직 못 끊어 버렸어요.)

2) 가: 식탁에 있던 빵은 다 먹었어요?
나: (네. 제가 다 먹어 버렸어요. / 아니요. 안 먹어 버렸어요.)

3) 가: 어제 시험공부는 열심히 했어요?
나: (네. 공부해 버렸어요. / 아니요. 놀아 버렸어요.)

4) 가: 수진 씨, 10만 원만 빌려줄 수 있어요?
나: (미안해요. 돈을 다 써 버렸어요. / 미안해요. 돈이 조금 남아 버렸어요.)

1. 대화를 듣고 들은 내용으로 맞는 것을 고르세요.

01

① 유진은 요즘 딴생각을 자주 한다.
② 안나는 약속 시간보다 늦게 왔다.
③ 안나는 유진이 늦어서 화가 났다.
④ 유진은 버스에서 우산을 잃어버렸다.

2. 다시 대화를 들으면서 빈칸에 알맞은 말을 써 보세요.

02

안나 : 유진, 1) .... ?

유진 : 안나, 미안해. 많이 기다렸지? 핸드폰을 두고 와서 집에 다시 갔다가 왔어.

안나 : 정말? 설마 버스를 탔다가 다시 돌아갔다 온 거야?

유진 : 아니야. 다행히 2) .... 바로 다시 내렸어.

요즘 일이 많아서 그런지 3) ....

안나 : 나도 가끔 그럴 때가 있어. 지난주에 우산을 버스에 놓고 내려서 4) ....

....

유진 : 우리 정말 요즘 왜 이럴까? 큰일이야. 5) ....

....

3. 대화를 듣고 따라 해 보세요.

03

1) 위의 대화를 보면서 듣고 따라 해 보세요.

2) 위의 대화를 보지 않고 들으면서 따라 해 보세요.

4. 발음과 억양에 유의해서 다음 문장을 듣고 따라 해 보세요.

04

실수하지 않게 / 우리 같이 / 정신 차리자.

1. 다음 글을 읽고 질문에 답하세요.

이웃님들~ 오늘 하루도 잘 지냈나요?

오늘은 '머피의 법칙'과 '샐리의 법칙'에 대해 이야기하려고 해요.

'머피의 법칙'은 안 좋은 일이 일어나면 계속 안 좋은 일이 일어나는 걸 말하고, 반대로 좋은 일이 일어나는 날은 계속 좋은 일이 일어나는 걸 '샐리의 법칙'이라고 해요. '머피의 법칙'과 '샐리의 법칙'으로 한 인터넷 사이트에서 회사원들에게 재미있는 설문 조사를 했어요.

회사원들이 뽑은 회사원 '머피의 법칙' 1위는 '약속이 있는 날에 꼭 야근하는 것'이에요. 2위는 '지각하는 날 더 안 오는 버스와 엘리베이터'고요. 이 외에도 '열심히 일하다가 잠시 딴짓하자마자 상사에게 들키는 것'이 있었어요.

반대로 회사원 '샐리의 법칙' 1위는 '집에서 늦게 출발했는데 오히려 회사에 일찍 도착하는 것'이었어요. 2위는 '지각했는데 마침 상사가 없을 때'예요. 이 외에도 '회의 준비를 덜 했는데 오히려 칭찬 받을 때'가 있었어요.

어때요? 여러분들도 공감하는 상황이 있나요? 저는 보자마자 모두 제 이야기라고 생각했어요.

이웃님들도 '샐리의 법칙'이 일어나는 재미있는 저녁 시간 보내세요!

1) '머피의 법칙'과 '샐리의 법칙'이 뭐예요? 이야기해 보세요.

2) 다음 중 '머피의 법칙'에 대한 상황으로 맞는 것을 고르세요.

① 친구 대신 약속 장소에 갔는데, 이상형을 만났을 때
② 시험 준비를 제대로 못 했는데, 시험에 합격했을 때
③ 갑자기 돈을 써야 하는데, 마침 오늘이 월급날일 때
④ 늦어서 시간이 없는데, 엘리베이터가 층마다 다 설 때

2. 새로 알게 된 어휘와 문법에 표시하면서 윗글을 다시 읽어 보세요.

1. 앞에서 읽은 글의 내용을 떠올려 보세요. 읽은 내용을 간단히 정리해 보세요.

2. 다음의 (　　) 속 핵심어를 참고하여 빈칸에 알맞은 문장을 써서 글을 완성해 보세요.

이웃님들~ 오늘 하루도 잘 지냈나요?

오늘은 '머피의 법칙'과 '샐리의 법칙'에 대해 이야기하려고 해요.

1) ____________________, ('머피의 법칙', 안 좋은 일, 일어나다) 반대로 좋은 일이 일어나는 날은 계속 좋은 일이 일어나는 걸 '샐리의 법칙'이라고 해요. '머피의 법칙'과 '샐리의 법칙'으로 한 인터넷 사이트에서 회사원들에게 재미있는 설문 조사를 했어요.

회사원들이 뽑은 회사원 '머피의 법칙' 1위는 2) ____________________. (약속, 야근하다) 2위는 '지각하는 날 더 안 오는 버스와 엘리베이터'고요. 이 외에도 3) ____________________ (일하다, 딴짓하다, 상사, 들키다) 있었어요. 반대로 회사원 '샐리의 법칙' 1위는 '집에서 늦게 출발했는데 오히려 회사에 일찍 도착하는 것'이었어요. 2위는 4) ____________________. (지각하다, 상사, 없다) 이 외에도 5) ____________________ (회의 준비, 덜 하다, 오히려, 칭찬 받다) 있었어요.

어때요? 여러분들도 공감되는 상황이 있나요? 저는 보자마자 모두 제 이야기라고 생각했어요.

이웃님들도 '샐리의 법칙'이 일어나는 재미있는 저녁 시간 보내세요!

1. 다음을 잘 읽고 알맞은 어휘를 골라 쓰세요.

후회하다	말실수하다	화해하다	오해하다	용서하다

1) (   ) 어떤 일에 대해 잘못 알고 있어요.

2) (   ) 말을 잘못해서 생긴 실수예요.

3) (   ) 상대방이 잘못한 일에 대해서 혼내지 않아요.

4) (   ) 이제는 싸우지 않고 서로 안 좋은 감정을 없애요.

5) (   ) 내가 한 일이 잘못된 것을 알고 스스로 생각해요.

2. 다음을 잘 읽고 알맞은 어휘를 골라 글을 완성해 보세요.

후회하다	다투다	화해하다	오해하다	사과하다

얼마 전에 안나 씨를 만나서 같이 과제를 했어요. 처음에는 같이 이야기하면서 열심히 했는데 나중에 보니까 글은 저 혼자 쓰고 있고 안나 씨는 휴대폰만 보고 있었어요. 그래서 안나 씨에게 화를 냈어요. 그런데 알고 보니까 안나 씨는 휴대폰에 글을 쓰고 있었어요. 제가 안나 씨를 1) (   ). 그리고 곧 안나 씨에게 화를 낸 것을 2) (   ). 안나 씨에게 미안하다고 3) (   ). 별일 아닌 걸로 안나 씨하고 4) (   ). 바로 사과를 한 덕분에 빨리 5) (   ).

-았었/었었-

1. 빈칸에 알맞은 표현을 써 보세요.

시원하다	시원했었다	작다	작았었다
살다		많다	
춥다		아프다	
오다		먹다	
크다		운전하다	

2. 다음과 같이 문장을 바꿔 보세요.

동생이 작년까지는 키가 작았어요. 그런데 지금은 저보다 더 커요.
→ 동생이 작년까지는 키가 작았었는데 지금은 저보다 더 커요.

1) 어릴 때는 꿈이 참 많았어요. 그런데 지금은 하고 싶은 것이 많이 없어요.

→ .

2) 작년 여름 방학에는 제주도에 여행을 갔어요. 그런데 올해는 집에만 있어요.

→ .

3) 3년 전에는 이 동네에 아무것도 없었어요. 그런데 지금은 건물이 아주 많아요.

→ .

4) 몇 년 전 여름은 너무 더웠어요. 그런데 이번 여름은 많이 안 덥네요.

→ .

3. 다음과 같이 알맞은 것을 고르세요.

예전에는 파를 안 (먹었어요 / 먹었었어요). 지금은 정말 좋아해요.

1) 어제 많이 (아팠어요 / 아팠었어요). 지금은 괜찮아요.
2) 가족과 같이 살 때는 요리를 많이 (했어요 / 했었어요). 지금은 가끔 해요.
3) 작년에는 담배를 (피웠어요 / 피웠었어요). 지금은 안 피워요.
4) 아침에 밥을 (먹었어요 / 먹었었어요). 배가 별로 안 고파요.

-(으)ㄹ걸 그랬다

1. 빈칸에 알맞은 표현을 써 보세요.

사다	살걸 그랬다	읽다	읽을걸 그랬다
공부하다		만들다	
바르다		보다	
기다리다		넣다	
닫다		돕다	

2. 다음과 같이 문장을 써 보세요.

공부를 하지 않았어요. 시험이 어려웠어요.
→ 열심히 공부할걸 그랬어요.

1) 친구의 생일 파티에 안 갔어요. 친구가 화가 났어요.

→ .

2) 코트를 입지 않았어요. 날씨가 추워요.

→ .

3) 우산을 가져오지 않았어요. 비가 와요.

→ .

4) 방문을 닫지 않고 노래를 부르는데 친구가 봤어요. 부끄러워요.

→ .

3. 질문에 대한 답으로 알맞은 것을 골라 보세요.

1) 가 : 떡볶이가 많이 매웠죠?
나 : 네. (떡볶이를 먹을걸 그랬어요. / 다른 음식을 먹을걸 그랬어요.)

2) 가 : 그 가방이 그때 새로 산 거예요? 예쁘네요. 마음에 들어요?
나 : 아니요. (가방을 사지 말걸 그랬어요. / 가방을 살걸 그랬어요.)

3) 가 : 어제 그 영화 재미있었어요?
나 : 아니요. (다른 영화를 볼걸 그랬어요. / 그 영화를 한 번 더 볼걸 그랬어요.)

4) 가 : 오늘 많이 피곤해 보여요. 잠을 못 잤어요?
나 : 네. (일찍 잘걸 그랬어요. / 늦게 잘걸 그랬어요.)

1. 대화를 듣고 들은 내용으로 맞는 것을 고르세요.

01

① 재민은 마리의 연락을 기다렸다.
② 재민은 마리와 같이 저녁을 먹을 것이다.
③ 재민은 마리에게 연락하는 것을 깜빡했다.
④ 마리는 재민과 저녁을 같이 먹고 싶어 하지 않는다.

2. 다시 대화를 들으면서 빈칸에 알맞은 말을 써 보세요.

02

마리 : 재민 씨, 저한테 1) .... ?
재민 : 잘못한 일요? 글쎄요. 제가 마리 씨에게 2) .... ?
마리 : 굳이 말을 해야 알아요? 재민 씨가 지난번에 같이 밥 먹자고 했잖아요. 3) ....
저는 재민 씨가 같이 밥 먹자고 해서 그날 저녁에도 시간을 비웠어요. 그런데 연락이 없었어요. 그리고 주말에도 다시 시간을 비웠어요. 그런데 또 연락이 없었어요.
재민 : 제가요? 언제 그랬지요? 아! 아마 습관처럼 했던 말인 것 같아요. 한국 사람들은 인사하면서 그렇게 말해요. '밥 한번 먹자' 아니면 '차 한잔하자' 이렇게요. 4) ....
마리 : 아, 그런 거예요? 저는 그런 줄도 모르고 재민 씨 연락을 계속 기다렸어요. 5) ....
재민 : 그럼 제가 사과하는 의미에서 저녁을 살게요. 오늘 같이 저녁 먹어요.
마리 : 이번에는 진짜지요?

3. 대화를 듣고 따라 해 보세요.

03

1) 위의 대화를 보면서 듣고 따라 해 보세요.

2) 위의 대화를 보지 않고 들으면서 따라 해 보세요.

4. 발음과 억양에 유의해서 다음 문장을 듣고 따라 해 보세요.

04

굳이 말을 해야 알아요? / 재민 씨가 / 지난번에 / 같이 밥 먹자고 했잖아요.

1. 다음 글을 읽고 질문에 답하세요.

Q. 친구와의 관계, 어떻게 하면 좋을까요?

ID: 비공개

친한 친구하고 사소한 일로 화를 내고 싸웠어요. 며칠 전에 같이 공부를 하다가 제가 먼저 친구에게 화를 냈는데 그 뒤로 서로 말을 안 하고 있어요. 앞으로 계속 친하게 지내고 싶은데 어떻게 먼저 화해를 해야 할지 잘 모르겠어요. 사실 화를 낼 정도로 큰일은 아니었는데 그때 좀 참을걸 그랬어요.

제가 먼저 화를 냈으니까 먼저 화해를 하고 싶은데 연락하려니까 기분이 조금 이상해요. 제 사과를 안 받아 줄 것 같아서 걱정도 되고요.

이럴 때는 어떻게 하면 좋을까요? 연락을 어떻게 하면 좋을까요?

답변 좀 주세요.

1) 윗글의 내용과 다른 것을 고르세요.

① 이 사람은 친구와 같이 공부를 하다가 싸웠다.
② 이 사람은 친구에게 먼저 화해를 하고 싶어 한다.
③ 이 사람은 화를 내지 않고 참을걸 그랬다고 생각한다.
④ 이 사람은 친구가 먼저 사과를 했으면 좋겠다고 생각한다.

2) 이 사람이 글을 쓴 이유는 뭐예요?

① 친구의 사과를 받고 싶어서
② 친구하고 같이 공부를 하기 싫어서
③ 화를 참는 방법에 대해 알고 싶어서
④ 친구에게 사과하는 연락을 하고 싶어서

2. 새로 알게 된 어휘와 문법에 표시하면서 윗글을 다시 읽어 보세요.

1. 앞에서 읽은 글의 내용을 떠올려 보세요. 읽은 내용을 간단히 정리해 보세요.

2. 다음의 (　　) 속 핵심어를 참고하여 빈칸에 알맞은 문장을 써서 글을 완성해 보세요.

Q. 친구와의 관계 어떻게 하면 좋을까요?

ID : 비공개

친한 친구하고 1) ______________________. (사소한 일, 화를 내다, 싸우다) 며칠 전에 같이 공부를 하다가 제가 먼저 친구에게 화를 냈는데, 그 뒤로 서로 말을 안 하고 있어요. 앞으로 계속 친하게 지내고 싶은데 2) ______________________. (어떻게, 화해하다) 사실 화를 낼 정도로 큰일은 아니었는데, 3) ______________________. (그때, 참다)

제가 먼저 화를 냈으니까 먼저 화해를 하고 싶은데 연락하려니까 기분이 조금 이상해요. 4) ______________________. (사과, 안 받다, 걱정, 되다)

이럴 때는 어떻게 하면 좋을까요? 연락을 어떻게 하면 좋을까요?

답변 좀 주세요.

1. 다음을 잘 읽고 알맞은 표현을 골라 쓰세요.

동호회에 가입하다	회원을 모집하다	정보를 공유하다	친목을 다지다	모임을 하다

1) ( ) 같이 동호회 활동을 할 사람들을 찾아요.

2) ( ) 사람들과 자주 만나고 이야기하면서 친해져요.

3) ( ) 내가 알고 있는 것을 다른 사람들에게 알려 주고, 내가 모르는 것을 다른 사람들이 알려 줘요.

4) ( ) 어떤 일이나 목적을 위해서 여러 사람들이 같이 만나요.

5) ( ) 나와 취미가 같은 사람들이 있는 모임에 참여해요.

2. 다음을 잘 읽고 알맞은 표현을 골라 글을 완성해 보세요.

정보를 공유하다	회비를 내다	가입하다	모임을 하다	친목을 다지다

오늘 주노 씨가 캠핑 동호회 사람들과 1) ( ) 했다. 나도 캠핑을 좋아해서 주노 씨에게 동호회에 대해서 물어봤다. 캠핑 동호회는 한 달에 한 번 캠핑을 가서 캠핑에 대한 2) ( ) 동호회 사람들과 3) ( ) 했다. 처음에는 나도 4) ( ) 생각했다. 그러나 매달 3만 원씩 5) ( ) 해서 더 생각해 보겠다고 했다.

-아/어 가지고

1. 빈칸에 알맞은 표현을 써 보세요.

운동하다	운동해 가지고	보다	봐 가지고
크다		연습하다	
좋다		많다	
입다		착하다	
싫다		바쁘다	

2. 다음과 같이 문장을 바꿔 보세요.

도서관에서 책을 빌려서 읽었어요.
→ 도서관에서 책을 빌려 가지고 읽었어요.

1) 돈을 모아서 여행을 갈 거예요.

→ ....

2) 한국어 공부를 해서 한국 회사에 취직할 거예요.

→ ....

3) 이 드라마가 재미있어서 매일 봐요.

→ ....

4) 요즘 너무 바빠서 친구를 못 만났어요.

→ ....

3. 다음과 같이 '-아/어 가지고'나 '-고' 중 알맞은 것을 사용해서 문장을 완성해 보세요.

친구를 만나다 → 친구를 만나 가지고 같이 영화를 봤어요.
친구를 만나다 → 친구를 만나고 집에 갔어요.

1) 어제 인형을 사다 → .... 동생에게 선물했어요.

2) 저는 불고기를 만들다 → .... 숙제를 했어요.

3) 마리 씨는 운동을 좋아하다 → .... 축구 동호회에 가입했어요.

4) 커피를 마시다 → .... 책을 읽었어요.

-는다거나 / ㄴ다거나

1. 빈칸에 알맞은 표현을 써 보세요.

힘들다	힘들다거나	전화하다	전화한다거나
듣다		입다	
착하다		재미있다	
슬프다		읽다	
먹다		만들다	

2. 다음과 같이 문장을 바꿔 보세요.

스트레스를 받을 때 매운 음식을 먹거나 재미있는 영화를 봐요.
→ 스트레스를 받을 때 매운 음식을 먹는다거나 재미있는 영화를 봐요.

1) 저는 주말에 보통 책을 읽거나 산책을 해요.
→ .

2) 도서관에서는 큰 소리로 떠들거나 전화를 하면 안 된다.
→ .

3) 요즘은 온라인으로 회의를 하거나 수업을 하는 일이 많아졌다.
→ .

4) 날씨가 추우면 옷을 두껍게 입거나 실내에만 있는 것이 좋아요.
→ .

3. 다음과 같이 문장을 써 보세요.

저는 주말에 책을 읽어요. 아니면 영화를 봐요.
→ 저는 주말에 책을 읽는다거나 영화를 본다거나 해요.

1) 요즘 재미있는 일이 있어요? 흥미로운 일이 있어요?
→ ?

2) 저는 요리하기 귀찮을 때 볶음밥을 만들어요. 아니면 라면을 만들어요.
→ .

3) 수업 시간에 잠을 자면 안 돼요. 친구와 이야기하면 안 돼요.
→ .

4) 친절하지 않은 식당은 가기 싫어요. 음식이 맛없는 식당도 가기 싫어요.
→ .

1. 대화를 듣고 들은 내용으로 맞는 것을 고르세요.

① 재민과 주노는 같이 동호회 모임에 갔다.
② 주노는 캠핑 동호회 모임에 자주 참여했다.
③ 주노는 캠핑 동호회 모임에 가는 것이 살짝 긴장된다.
④ 주노는 재민에게 같이 동호회 모임에 가자고 권유했다.

2. 다시 대화를 들으면서 빈칸에 알맞은 말을 써 보세요.

재민 : 주노 씨, 1) ______________________________?

주노 : 네. 캠핑 모임에 나가는 건 처음이라 살짝 긴장도 되네요.

재민 : 에이. 똑같아요. 캠핑을 좋아하는 사람들끼리 모여서 같이 2) ______________________________.

주노 : 그래도 이렇게 동호회 모임에 가는 것은 좀 어색해서요. 저는 재민 씨만 믿고 따라 갈게요.

재민 : 네. 저만 믿으세요! 거기 가면 다들 3) ______________________________.

주노 : 4) ______________________________. 캠핑을 좋아하지만 아직 용품에 대해서도 잘 모르고 정보를 찾아본다거나 그런 적이 없어서요.

재민 : 그러니까요. 이번 기회에 5) ______________________________. 분명 후회하지 않고 멋진 시간을 보낼 거예요.

3. 대화를 듣고 따라 해 보세요.

1) 위의 대화를 보면서 듣고 따라 해 보세요.

2) 위의 대화를 보지 않고 들으면서 따라 해 보세요.

4. 발음과 억양에 유의해서 다음 문장을 듣고 따라 해 보세요.

분명 후회하지 않고/멋진 시간을 보낼 거예요.

1. 다음 글을 읽고 질문에 답하세요.

늘푸른 산악회 회원 모집!

지루한 일상에서 벗어나고 싶으세요? 주말마다 재미있게 운동하고 싶으세요? 좋은 사람들과 함께 웃으며 운동할 수 있는 늘푸른 산악회로 오세요!

산 정상에서 바라보는 멋진 세상을 본 적 있으세요? 저희와 같이 등산을 하면 산 정상에서 아름다운 자연을 생생하게 두 눈에 담고, 가슴으로 느낄 수 있습니다. 산길을 걸어가면서 나무 한 그루, 풀 한 포기에서 느껴지는 자연을 만나 보세요. 등산을 하면 아름다운 자연도 볼 수 있고 건강한 몸도 만들 수 있습니다.

등산을 해 본 적이 없어서 걱정입니까? 다들 잘 걸어가는데 혼자 못 따라 걷는다거나, 혼자서만 심심할 것 같다거나 그런 걱정은 안 해도 됩니다. 저희 산악회는 힘든 길을 가는 것이 아니라 편한 등산로를 천천히 같이 올라갑니다. 또 등산 전문가가 함께 걸으며 여러분이 안전하고 재미있는 등산을 할 수 있도록 도와줄 것입니다.

저희는 한 달에 두 번, 첫째 주와 셋째 주 토요일마다 모입니다. 회비는 2만 원으로, 모이는 날에 가지고 오면 됩니다. 회비에는 교통비와 간식 비용이 포함되어 있습니다. 토요일 아침 8시에 저희 산악회 모임에 한번 와 보세요.

회장: 010-××××-×××× / 총무: 010-××××-××××

1) 윗글의 내용과 같은 것을 고르세요.

① 산악회는 매주 토요일마다 모임을 한다.
② 산악회의 회비는 등산을 하러 가는 날에 내면 된다.
③ 산악회의 회비에는 교통비와 보험료가 포함되어 있다.
④ 산악회는 토요일 아침 8시에 모여 빠르게 산 정상까지 올라간다.

2) 이 산악회가 안전하다고 하는 가장 큰 이유는 뭐예요?

① 한 달에 한 번만 참석하면 되는 것
② 등산을 해서 건강한 몸을 가지는 것
③ 편한 등산로를 전문가와 함께 걷는 것
④ 많은 사람들과 이야기하며 운동하는 것

2. 새로 알게 된 어휘와 문법에 표시하면서 윗글을 다시 읽어 보세요.

1. 앞에서 읽은 글의 내용을 떠올려 보세요. 읽은 내용을 간단히 정리해 보세요.

2. 다음의 (　　) 속 핵심어를 참고하여 빈칸에 알맞은 문장을 써서 글을 완성해 보세요.

늘푸른 산악회 회원 모집!

지루한 일상에서 벗어나고 싶으세요? 주말마다 재미있게 운동하고 싶으세요? 좋은 사람들과 함께 웃으며 운동할 수 있는 늘푸른 산악회로 오세요!

산 정상에서 바라보는 멋진 세상을 본 적 있으세요? 저희와 같이 등산을 하면 산 정상에서 1) ____________________. (아름다운 자연을 눈에 담다, 가슴으로 느끼다)

산길을 걸어가면서 나무 한 그루, 풀 한 포기에서 느껴지는 자연을 만나 보세요. 2) ____________________. (자연을 보다, 건강한 몸도 만들다)

3) ____________________? (등산을 해 본 적이 없다, 걱정이다)

다들 잘 걸어가는데 4) ____________________ (혼자 못 따라 걷는다, 심심할 것 같다)

그런 걱정은 안 해도 됩니다. 저희 산악회는 힘든 길을 가는 것이 아니라 편한 등산로를 천천히 같이 올라갑니다. 또 5) ____________________. (등산 전문가가 함께 걷다, 도와주다)

저희는 한 달에 두 번, 첫째 주와 셋째 주 토요일마다 모입니다. 회비는 2만 원으로, 모이는 날에 가지고 오면 됩니다. 회비에는 교통비와 간식 비용이 포함되어 있습니다. 토요일 아침 8시에 저희 산악회 모임에 한번 와 보세요.

회장: 010-××××-××××/총무: 010-××××-××××

1. 다음을 잘 읽고 알맞은 표현을 골라 쓰세요.

붐비다 | 볼거리가 많다 | 이국적이다 | 색다르다 | 둘러보다

1) ( ) 주변의 여러 가지를 잘 살펴보고 구경해요.

2) ( ) 사람들이 많아서 복잡해요.

3) ( ) 우리 나라의 모습과 아주 달라요.

4) ( ) 재미있게 구경할 것이 많아요.

5) ( ) 아주 특별하고 보통의 것과 달라요.

2. 다음을 잘 읽고 알맞은 표현을 골라 글을 완성해 보세요.

붐비다 | 볼거리가 많다 | 이국적이다 | 색다르다 | 자연 경관이 뛰어나다

제주도는 한국의 대표적 관광지로 일 년 내내 여행을 온 사람들로 1) ( ). 공항에 도착하면 2) ( ) 풍경을 볼 수 있다. 한국의 다른 지역에서 볼 수 없는 이런 풍경 덕분에 해외에 온 것 같은 기분을 느낄 수 있다. 공항을 빠져나오면 저 멀리 높은 한라산이 보인다. 한라산과 푸른 바다가 유명한 제주도는 3) ( ). 그리고 다양한 박물관, 미술관 등 4) ( ) 것도 제주도의 매력이다. 또한 잠수함을 타고 제주의 바닷속을 둘러보는 5) ( ) 경험도 해 볼 수 있다.

-느라고

1. 다음과 같이 문장을 바꿔 보세요.

> 샤워를 하고 있었어요. 그래서 전화를 못 받았어요.
> → 샤워를 하느라고 전화를 못 받았어요.

1) 운전을 하고 있었어요. 그래서 문자를 못 봤어요.

   → ....

2) 어제 밤늦게까지 책을 읽었어요. 그래서 잠을 못 잤어요.

   → ....

3) 주말에도 집안일을 했어요. 그래서 못 쉬었어요.

   → ....

4) 파티에서 먹을 음식을 모두 직접 만들었어요. 그래서 너무 힘들었어요.

   → ....

5) 오후 내내 회의를 했어요. 그래서 잠시도 쉴 시간이 없었어요.

   → ....

2. 다음과 같이 '-느라고'나 '-아서/어서' 중 알맞은 것을 사용해서 문장을 완성해 보세요.

> 샤워를 하다 → 샤워를 하느라고 전화를 못 받았어요.
> 전화를 안 받다 → 친구가 전화를 안 받아서 문자를 보냈어요.

1) 아침에 늦게 일어나다 → .... 지각했어요.

2) 사고가 나서 병원에 가다 → .... 출근을 못 했어요.

3) 휴대폰이 고장 나다 → .... 전화를 못 했어요.

4) 날씨가 춥다 → .... 감기에 걸렸어요.

-기는요

1. 다음과 같이 문장을 바꿔 보세요.

> 가: 요리를 정말 잘하네요!
> 나: 그렇게 잘하는 편은 아니에요. → 잘하기는요.

1) 가: 집이 정말 크고 깨끗하네요.
   나: 그렇게 크고 깨끗한 편은 아니에요. → ______________.

2) 가: 매일 아침에 1시간씩 운동을 하고 출근한다고요? 정말 부지런하네요.
   나: 특별히 제가 부지런한 편은 아니에요. → ______________.

3) 가: 요즘 시험공부 하느라고 많이 힘들지요?
   나: 별로 힘들지 않아요. → ______________.

4) 가: 이거 많이 맵지요?
   나: 아니에요. 별로 안 매워요. → ______________.

5) 가: 요즘 일이 많아서 바쁘지요?
   나: 아니요. 별로 바쁘지 않아요. → ______________.

2. 질문에 대한 답으로 알맞은 것을 골라 보세요.

1) 가: 매일 한국어 단어를 다섯 개씩 공부한다면서요? 힘들지 않아요?
   나: ① 힘들기는요. ② 힘들지 않기는요.

2) 가: 이거 주노 씨가 그린 그림이에요? 그림을 정말 잘 그리네요.
   나: ① 그림을 그리기는요. ② 그림을 잘 그리기는요.

3) 가: 안나 씨, 어떻게 한국어를 그렇게 잘해요? 깜짝 놀랐어요!
   나: ① 잘하기는요. ② 깜짝 놀라기는요.

4) 가: 주노 씨, 태권도 배우는 것 어때요? 어렵지 않지요?
   나: ① 어렵지 않기는요. ② 어렵기는요.

1. 대화를 듣고 들은 내용으로 맞는 것을 고르세요.

① 주노는 한국에 가 본 적이 없다.
② 두 사람은 같이 휴가를 가려고 한다.
③ 마리는 서울과 다른 도시에 가 볼 계획이다.
④ 두 사람은 친구의 결혼식에 가기 위해 한국에 간다.

2. 다시 대화를 들으면서 빈칸에 알맞은 말을 써 보세요.

주노: 마리 씨, 1) ______________________ ?

마리: 네. 주노 씨. 저는 한국에 다녀오려고요.

주노: 한국에는 처음 가는 거예요?

마리: 네. 처음이에요. 제 친구가 한국 사람인데 2) ______________________
______________________. 그래서 그 친구하고 같이 한국에 가기로 했어요.

주노: 저는 작년에 한국에 갔었는데 3) ______________________.
다음에 기회가 있으면 또 가 보고 싶어요.

마리: 4) ______________________. 친구 사촌
동생이 결혼을 한다고 해서 결혼식에도 같이 가기로 했어요. 그리고 휴가 기간이 길어서
5) ______________________.

주노: 와. 저는 서울만 가 보고 다른 곳은 못 가 봤는데 부러워요! 다녀와서 휴가 어땠는지 꼭 들려
주세요.

3. 대화를 듣고 따라 해 보세요.

1) 위의 대화를 보면서 듣고 따라 해 보세요.

2) 위의 대화를 보지 않고 들으면서 따라 해 보세요.

4. 발음과 억양에 유의해서 다음 문장을 듣고 따라 해 보세요.

제 친구가 한국 사람인데 / 일하느라고 바빠서 / 오랫동안 / 고향에 못 갔다고 하더라고요.

1. 다음 글을 읽고 질문에 답하세요.

여러분은 휴가 계획 세우셨어요? 저는 이번 휴가지는 섬으로 정했어요. 바로 인천에 있는 세 개의 섬 '신도, 시도, 모도'에 가려고 하는데요. 이번에 휴가지를 정할 때는 첫째, 짧은 일정으로도 갈 수 있는 곳, 둘째, 대중교통을 이용해서 갈 수 있는 곳으로 가고 싶다고 생각했어요. 올해는 휴가 기간이 짧아서 먼 곳으로 가는 것은 좀 어려울 것 같더라고요. 그래서 2박 3일 정도로 다녀올 수 있는 가까운 곳으로 휴가를 가 보자고 생각했어요. 또 가까운 곳이니까 대중교통을 이용하는 것도 좋을 것 같았어요. 차를 운전해서 가면 편리하지만 길이 막힐 수도 있고, 혼자서 여행을 가는 것이니까 대중교통을 이용하는 것이 더 저렴하기도 해서요.

알아보니 신도는 시도, 모도라는 주변 섬과 다리로 연결되어 있는데 모두 자전거를 타고 둘러볼 수 있게 되어 있었어요. 섬으로 들어가는 터미널까지는 버스를 타고 가고, 터미널에서 배를 탄 후 신도에 갈 수 있다고 하더라고요. 그리고 신도에 도착한 후에는 자전거를 빌려서 2박 3일 동안 이용하면 되겠다는 생각을 했어요. 2박 3일 동안 천천히 세 개의 섬을 둘러보면서 힐링하는 시간을 가지려고요. 그리고 시도에 있는 '수기해수욕장'에도 가려고 해요. 해변에 누워서 책도 읽고 바다에 들어가서 수영도 할 거예요. 작은 섬에서 보낼 혼자만의 힐링 여행이 벌써 기대가 돼요.

1) 윗글의 내용과 같은 것을 고르세요.

① 이 사람은 섬으로 휴가를 가려고 한다.
② 이 사람은 가족들과 함께 휴가를 갈 예정이다.
③ 이 사람은 자전거를 타고 휴가지로 갈 생각이다.
④ 이 사람은 휴가를 갈 때 자가용을 이용할 계획이다.

2) 이 사람이 이곳을 휴가지로 정한 이유는 뭐예요?

① 휴가 기간이 짧아서
② 운전하는 것을 좋아해서
③ 바다를 좋아하지 않아서
④ 장거리 여행을 가 보고 싶어서

2. 새로 알게 된 어휘와 문법에 표시하면서 윗글을 다시 읽어 보세요.

1. 앞에서 읽은 글의 내용을 떠올려 보세요. 읽은 내용을 간단히 정리해 보세요.

2. 다음의 ( ) 속 핵심어를 참고하여 빈칸에 알맞은 문장을 써서 글을 완성해 보세요.

여러분은 휴가 계획 세우셨어요? 저는 이번 휴가지는 섬으로 정했어요. 바로 인천에 있는 세 개의 섬 '신도, 시도, 모도'에 가려고 하는데요. 이번에 휴가지를 정할 때는 1) 첫째, ________________, (짧은 일정) 2) 둘째, ________________. (대중교통 이용) 가고 싶다고 생각했어요. 올해는 휴가 기간이 짧아서 먼 곳으로 가는 것은 좀 어려울 것 같더라고요. 그래서 2박 3일 정도로 다녀올 수 있는 3) ________________. (가까운 곳, 휴가를 가 보자) 또 가까운 곳이니까 대중교통을 이용하는 것도 좋을 것 같았어요. 차를 운전해서 가면 편리하지만 길이 막힐 수도 있고, 혼자서 여행을 가는 것이니까 4) ________________. (대중교통 이용, 더 저렴)

알아보니 신도는 시도, 모도라는 주변 섬과 다리로 연결되어 있는데 모두 자전거를 타고 둘러볼 수 있게 되어 있었어요. 섬으로 들어가는 터미널까지는 버스를 타고 가고, 5) ________________. (터미널에서 배, 신도에 가다) 그리고 신도에 도착한 후에는 자전거를 빌려서 2박 3일 동안 이용하면 되겠다는 생각을 했어요. 2박 3일 동안 천천히 세 개의 섬을 둘러보면서 힐링하는 시간을 가지려고요. 그리고 시도에 있는 '수기 해수욕장'에도 가려고 해요. 6) ________________. (해변, 책 읽기, 바다에서 수영하다) 작은 섬에서 보낼 혼자만의 힐링 여행이 벌써 기대가 돼요.

1. 다음을 잘 읽고 알맞은 어휘를 골라 쓰세요.

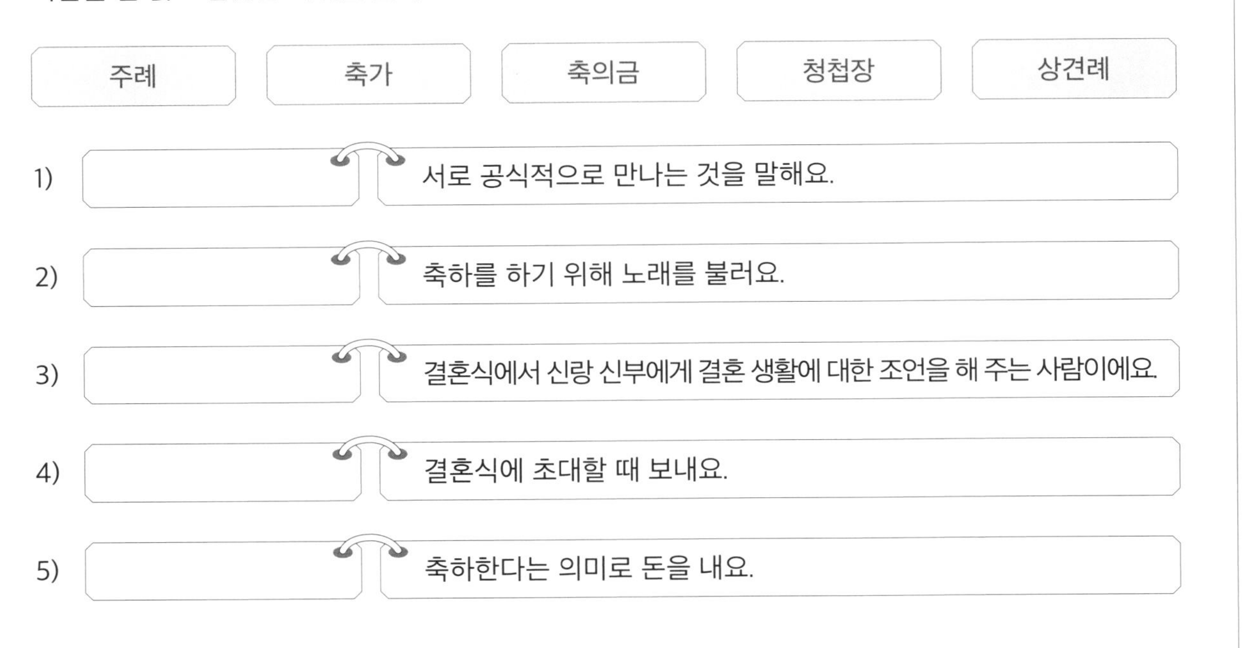

2. 다음을 잘 읽고 알맞은 표현을 골라 글을 완성해 보세요.

주례	혼인 서약을 하다	상견례를 하다	신랑 신부가 행진을 하다	청첩장

한국에서는 보통 결혼 전에 신랑 신부의 가족들이 모두 만나서 1) (   ). 그리고 신랑과 신부는 주변 사람들에게 2) (   ) 주며 결혼식에 초대한다. 결혼식이 시작되면 먼저 신랑 신부가 입장을 한 후 3) (   ). 예전에는 4) (   ) 있는 결혼식이 많았지만 요즘은 신랑 신부의 부모님이나 친구가 대신 덕담을 하는 경우가 많다. 축가는 신랑 신부의 친구들 중에서 노래를 잘하는 친구가 부르기도 하고, 전문 가수를 초대하기도 한다. 축가를 들은 후에는 마지막으로 5) (   ).

-는/(으)ㄴ 모양이다

1. 빈칸에 알맞은 표현을 써 보세요.

가다	가는 모양이다	보다	보는 모양이다
좋다		작다	
입다		자다	
기쁘다		피곤하다	
살다		따뜻하다	

2. 다음과 같이 문장을 바꿔 보세요.

가: 마리 씨가 오늘 좀 늦네요.
나: 차가 밀리나 봐요. → 차가 밀리는 모양이에요.

1) 가: 주노 씨가 오늘 모임에 왜 안 왔을까요?
   나: 오늘 피곤한가 봐요. → ________________.
2) 가: 수지 씨가 오늘 하루 종일 웃고 있네요.
   나: 기분 좋은 일이 있나 봐요. → ________________.
3) 가: 해리 씨가 전화를 안 받네요. 무슨 일이 있는지 알아요?
   나: 아직 자나 봐요. → ________________.
4) 가: 밖에서 무슨 소리가 들리네요.
   나: 비가 오나 봐요. → ________________.

3. 질문에 대한 답으로 알맞은 것을 골라 보세요.

1) 가: 아까 진 씨 춤 추는 거 봤어요?
   나: ① 네. 아까 보니까 진 씨가 춤을 잘 추는 것 같아요.
   ② 네. 아까 보니까 진 씨가 춤을 잘 추는 모양이에요.
2) 가: 마리 씨는 뭘 잘해요?
   나: ① 음. 저는 요리를 잘하는 것 같아요.
   ② 음. 저는 요리를 잘하는 모양이에요.
3) 가: 유진 씨, 둘 중에 어떤 옷이 더 마음에 들어요?
   나: ① 전 이 빨간색 옷이 더 마음에 드는 것 같아요.
   ② 전 이 빨간색 옷이 더 마음에 드는 모양이에요.
4) 가: 미나 씨가 요즘 기분 좋아 보이네요.
   나: ① 제가 듣기로는 취업을 한 것 같아요.
   ② 제가 듣기로는 취업을 한 모양이에요.

같이

1. 다음과 같이 문장을 바꿔 보세요.

가 : 제주도 경치가 어땠어요?
나 : 정말 예뻤어요.
→ 정말 ((그림) / 책 / 도시) 그림같이 예뻤어요.

1) 가 : 민수 씨 결혼식 때 축가 들었어요? 어땠어요?
   나 : 민수 씨 친구가 불렀는데 (학생 / 가수 / 배우) 잘 부르더라고요.
   → ______________________________.

2) 가 : 안나 씨랑 재민 씨랑 너무 닮지 않았어요?
   나 : 네. 정말 (남매 / 친구 / 자매) 닮은 것 같아요.
   → ______________________________.

3) 가 : 민호 씨는 성격이 정말 좋은 것 같아요.
   나 : 맞아요. 마음이 (교실 / 바다 / 골목길) 넓어요.
   → ______________________________.

4) 가 : 유미 씨는 웃는 모습이 정말 귀여워요.
   나 : 맞아요. 정말 (호랑이 / 아이 / 친구) 해맑게 웃어요.
   → ______________________________.

5) 가 : 룸메이트랑 많이 친해졌어요?
   나 : 네. 정말 많이 친해져서 이제는 (가족 / 선후배 / 직장 동료) 지내요.
   → ______________________________.

2. '같이'를 사용한 문장 중 맞는 것을 고르세요.

1) ① 아까 재민 씨가 불같이 화를 내서 깜짝 놀랐어요.
   ② 급한 일이 있어서 불같이 뛰어갔어요.
2) ① 수지 씨는 새벽같이 부지런한 것 같아요.
   ② 수지 씨, 요즘 새벽같이 일어나서 어디에 가요?
3) ① 주노 씨는 매일같이 지루해요.
   ② 저는 요즘 주노 씨를 매일같이 만나요.
4) ① 선물을 준다고 하니까 번개같이 뛰어왔어요.
   ② 밤인데도 밖은 번개같이 밝아요.

1. 대화를 듣고 들은 내용으로 맞는 것을 고르세요.

01

① 재민은 최근에 결혼을 했다.
② 두 사람은 캠핑을 같이 갈 생각이다.
③ 요즘 날씨가 안 좋아서 여행 가기 좋지 않다.
④ 재민의 사촌 동생은 부산으로 신혼여행을 갔다.

2. 다시 대화를 들으면서 빈칸에 알맞은 말을 써 보세요.

02

수지 : 재민 씨, 사촌 동생 1) .... ?

재민 : 네. 잘 다녀왔어요. 동생이 제주도로 2) ....

.... ? 행복하게 웃는 모습을 보니 저도 기분이 좋네요.

수지 : 와, 정말 행복해 보이네요. 3) ....

재민 : 4) ....

제주도에서 수영도 하고, 등산도 하고 맛있는 음식도 먹으면서 즐겁게 보내고 있는 것 같아요.

저도 여행 가고 싶네요.

수지 : 재민 씨도 5) .... !

재민 : 네. 그래서 이번 주말에 캠핑하러 가려고요. 수지 씨 같이 갈래요?

수지 : 정말요? 좋아요! 저도 캠핑 진짜 좋아하거든요.

3. 대화를 듣고 따라 해 보세요.

03

1) 위의 대화를 보면서 듣고 따라 해 보세요.

2) 위의 대화를 보지 않고 들으면서 따라 해 보세요.

4. 발음과 억양에 유의해서 다음 문장을 듣고 따라 해 보세요.

04

행복하게 웃는 모습을 보니 / 저도 기분이 좋네요.
주말에 / 가까운 데라도 / 다녀오세요!

1. 다음 글을 읽고 질문에 답하세요.

달라진 결혼 문화… 화려한 결혼식보다는 경제적인 '스몰 웨딩'이 인기

소수만 초대하는 스몰 웨딩이 인기, 주례 없는 결혼식에 대한 관심도 ↑

한국의 결혼식 문화가 달라지고 있다. 예전에는 결혼식장이나 호텔에서 올리는 결혼식이 일반적이었다면 요즘에는 소수의 하객만 초대하여 결혼식을 진행하는 하우스 웨딩, 스몰 웨딩이 인기이다. 결혼식장은 모든 것이 준비되어 있어서 편리하다는 장점이 있지만, 시간이 1시간 정도로 정해져 있고 비싸다는 단점이 있다. 따라서 요즘에는 레스토랑이나 펜션을 빌려 소수의 하객만 초대하여 결혼식을 오래 즐기는 하우스 웨딩이 더욱 인기를 얻고 있다.

또한, 주례 없는 결혼식에 대한 선호도가 높아지고 있다. 신랑 신부 입장이 끝나면 주례사 대신 신랑 신부가 직접 혼인 서약을 읽고 부모님이나 친구가 편지를 읽거나 덕담을 한다. 결혼 생활에 대한 일반적인 조언보다 신랑, 신부를 잘 아는 사람들이 해 주는 이야기가 더욱 의미 있다는 생각이 많아졌기 때문에 이러한 주례 없는 결혼식이 많아지고 있는 추세이다.

앞으로도 젊은 세대들은 똑같은 결혼식보다 이러한 자유롭고 특별한 결혼식을 선호할 것으로 전망된다.

1) 윗글의 내용과 같은 것을 고르세요.

① 요즘은 주례 없는 결혼식이 많아지고 있다.
② 젊은 사람들은 시간이 정해져 있는 결혼식을 선호한다.
③ 하우스 웨딩은 많은 사람을 초대할 수 있는 것이 장점이다.
④ 결혼식장은 신랑, 신부가 모두 준비를 해야 한다는 단점이 있다.

2) 주례 없는 결혼식을 선호하는 이유를 고르세요.

① 조언을 듣고 싶어서
② 경제적인 이유 때문에
③ 조금 더 편리하고 빠르게 진행할 수 있어서
④ 신랑, 신부를 잘 아는 사람의 이야기가 더욱 의미 있어서

2. 새로 알게 된 어휘와 문법에 표시하면서 윗글을 다시 읽어 보세요.

1. 앞에서 읽은 글의 내용을 떠올려 보세요. 읽은 내용을 간단히 정리해 보세요.

2. 다음의 (　　　) 속 핵심어를 참고하여 빈칸에 알맞은 문장을 써서 글을 완성해 보세요.

달라진 결혼 문화… 화려한 결혼식보다는 경제적인 '스몰 웨딩'이 인기

소수만 초대하는 스몰 웨딩이 인기, 주례 없는 결혼식에 대한 관심도 ↑

1) ______________________. (한국, 결혼식 문화, 달라지다)

예전에는 결혼식장이나 호텔에서 올리는 결혼식이 일반적이었다면 요즘에는 2) ______________________ (소수의 하객, 초대하다, 결혼식, 진행하다) 하우스 웨딩, 스몰 웨딩이 인기이다. 결혼식장은 모든 것이 준비되어 있어서 편리하다는 장점이 있지만, 시간이 1시간 정도로 정해져 있고 비싸다는 단점이 있다. 따라서 요즘에는 레스토랑이나 펜션을 빌려 소수의 하객만 초대하여 결혼식을 오래 즐기는 하우스 웨딩이 더욱 인기를 얻고 있다.

또한 3) ______________________. (주례, 없다, 선호, 높아지다) 신랑 신부 입장이 끝나면 주례사 대신 신랑 신부가 직접 혼인 서약을 읽고 4) ______________________. (부모님이나 친구, 편지, 덕담) 결혼 생활에 대한 일반적인 조언보다 신랑 신부를 잘 아는 사람들이 해 주는 이야기가 더욱 의미 있다는 생각이 많아졌기 때문에 이러한 주례 없는 결혼식이 많아지고 있는 추세이다.

앞으로도 젊은 세대들은 똑같은 결혼식보다 이러한 자유롭고 특별한 결혼식을 선호할 것으로 전망된다.

1. 다음을 잘 읽고 알맞은 표현을 골라 쓰세요.

세배를 하다	소원을 빌다	덕담을 하다	차례를 지내다	달맞이를 하다

1) ( ) 다른 사람에게 좋은 일이 있기를 바라는 말을 해요.

2) ( ) 명절에 돌아가신 조상님들께 음식을 올리며 감사 인사를 해요.

3) ( ) 어떤 일이 이루어지기를 간절히 바라요.

4) ( ) 달이 뜨는 것을 구경해요.

5) ( ) 새해에 어른들께 절을 하며 인사해요.

2. 다음을 잘 읽고 알맞은 표현을 골라 글을 완성해 보세요.

떡국	세뱃돈	세배를 하다	고향에 돌아가다	덕담을 하다

설날은 한국의 대표적인 명절이다. 가족과 떨어져 살던 사람들도 보통 설날이 되면 가족들과 시간을 보내기 위해 1) ( ). 한국에서는 설날 아침에 모두 모여 2) ( ) 먹는데, 이것을 먹으면 나이를 한 살 더 먹는다고 생각한다. 아침을 먹은 후에는 집안의 어른들께 "새해 복 많이 받으세요."라고 인사를 하며 3) ( ). 어른들은 4) ( ) 주며 한 해 동안 잘 되기를 바라는 마음으로 5) ( ).

–던데요

1. 다음과 같이 문장을 바꿔 보세요.

가: 학교 앞에 새로 생긴 식당 어때요?
나: 어제 가 봤는데 맛있었어요. → 어제 가 봤는데 맛있던데요.

1) 가: 저 영화 봤어요? 어때요?
   나: 네. 지난주에 봤는데 재밌었어요. → ______________.

2) 가: 마리 씨는 오늘도 학교에 안 왔어요? 많이 아픈가 봐요.
   나: 아까 교실에 가 보니까 오늘은 왔어요. → ______________.

3) 가: 어제 산 옷, 집에 가서 입어 봤어요?
   나: 입어 보니까 생각보다 컸어요. → ______________.

4) 가: 어제 시험 잘 봤어요? 어땠어요?
   나: 제가 생각한 것보다 어려웠어요. → ______________.

5) 가: 이제 정말 봄인가 봐요.
   나: 맞아요. 아까 보니까 벌써 꽃이 피었어요. → ______________.

2. 다음과 같이 알맞은 것을 골라 바꾸어 써 보세요.

높다	어렵다	안 오다	재미있다	피곤해 보이다

마리 씨가 아픈가 봐요. 오늘 학교에 안 왔던데요.

1) 재민 씨가 그 산이 낮다고 했는데 직접 가 보니까 정말 ______________.

2) 마리 씨가 일이 많은 것 같아요. 요즘 계속 ______________.

3) 친구가 말한 영화를 봤는데 정말 ______________.

4) 민호 씨가 추천한 책이 재미있지만 조금 ______________.

-았더니/었더니

1.

빈칸에 알맞은 표현을 써 보세요.

읽다	읽었더니	만들다	만들었더니
쓰다		돕다	
마시다		청소하다	
운동하다		듣다	
보다		부르다	

2.

다음과 같이 문장을 바꿔 보세요.

오늘 커피를 많이 마셨어요. 그래서 잠이 안 오네요.
→ 오늘 커피를 많이 마셨더니 잠이 안 오네요.

1) 요즘 운동을 시작했어요. 그래서 몸이 가벼워요.

→ .

2) 오늘 교실에 일찍 왔어요. 그런데 교실에 아무도 없었어요.

→ .

3) 어젯밤에 슬픈 영화를 보고 울었어요. 그래서 눈이 많이 부었어요.

→ .

4) 머리를 짧게 잘랐어요. 그러니까 친구들이 잘 어울린다고 했어요.

→ .

3.

다음과 같이 '-았더니/었더니'나 '-아서/어서' 중 알맞은 것을 사용해서 문장을 완성해 보세요.

커피를 많이 마시다 → 커피를 많이 마셔서 밤에 잠이 안 올 거예요.
선생님께 여쭤보다 → 선생님께 여쭤봤더니 내일이 시험이래요.

1) 부모님께서 한국에 오시다 → 기분이 좋아요.

2) 동생이 어제 매운 음식을 먹다 → 배탈이 났어요.

3) 삼계탕을 먹어 보다 → 맛있던데요.

4) 친구가 고향으로 돌아가다 → 요즘 너무 심심해요.

듣고 말하기

1. 대화를 듣고 들은 내용으로 맞는 것을 고르세요.

01

① 마리는 떡국을 맛있게 먹었다.
② 마리는 한국에서 추석을 보냈다.
③ 주노는 이번 추석에 마리를 초대했다.
④ 마리는 주노의 부모님께 세배를 했다.

2. 다시 대화를 들으면서 빈칸에 알맞은 말을 써 보세요.

02

주노 : 마리 씨, 1) ________________________________ ?

마리 : 네. 주노 씨. 한국 친구가 집에 초대해 줘서 다녀왔어요. 설날에 먹는 떡국도 먹고 윷놀이도 하고 2) ________________________________ .

주노 : 재미있었겠네요. 떡국 맛은 어땠어요?

마리 : 3) ________________________ . 맛있어서 너무 많이 먹었더니 배가 진짜 불렀어요.

주노 : 저도 명절이라 4) ________________________________ ________________ . 마리 씨 그래도 한국 설날도 직접 경험해 보고 좋은 시간을 보냈네요.

마리 : 네, 친구 부모님과 할아버지께 세배도 하고 5) ________________ . 내년에도 또 가고 싶어요.

주노 : 내년에는 우리 집으로 오세요. 미리 초대할게요!

3. 대화를 듣고 따라 해 보세요.

03

1) 위의 대화를 보면서 듣고 따라 해 보세요.

2) 위의 대화를 보지 않고 들으면서 따라 해 보세요.

4. 발음과 억양에 유의해서 다음 문장을 듣고 따라 해 보세요.

04

설날에 먹는/떡국도 먹고/윷놀이도 하고/특별한 경험이었어요.

1. 다음 글을 읽고 질문에 답하세요.

한국의 대표적인 명절 중 하나인 추석은 가을 저녁, 가을의 달빛이 가장 좋은 밤이라는 의미를 가지고 있다. 음력 8월 15일은 가을의 한가운데 있는 날로, 추석을 '한가위'라고 부르기도 한다.

설날의 대표 음식이 떡국이라면, 추석에 먹는 대표적인 음식은 송편이다. 송편은 쌀가루로 반죽하여 안에 깨, 밤 등을 넣고 둥글게 빚어 찐 떡을 말하는데 찔 때 솔잎을 밑에 깔고 찌기 때문에 송편이라는 이름이 붙었다. 옛날부터 송편을 예쁘게 빚으면 예쁜 자식을 낳는다는 속설이 있다. 그래서 송편을 예쁘게 빚으면 어른들이 "예쁜 자식을 낳겠네."라고 칭찬을 하기도 한다.

추석은 수확이 시작되는 시기에 있는 명절이라서 그동안 농사가 잘 되게 해 준 것에 대한 감사와 내년의 풍년을 기원하는 마음을 담아 보내는 의미 있는 날이다. 모든 것이 풍성하고, 또 즐거운 놀이로 밤낮을 지내는 날이기 때문에 "더도 말고 덜도 말고 한가위만 같아라." 라는 말이 생기기도 하였다.

1) 윗글의 내용과 같은 것을 고르세요.

① 추석은 음력 8월 15일이다.
② 추석의 대표 음식은 떡국이다.
③ 추석에는 가족들과 함께 조용하게 보낸다.
④ 추석은 농사를 시작하는 시기에 있는 명절이다.

2) "더도 말고 덜도 말고 한가위만 같아라."라는 말이 생긴 이유를 고르세요.

① 한국의 대표적인 명절이기 때문에
② 일 년 중 추석 때 날씨가 가장 좋아서
③ 송편과 같이 맛있는 음식을 많이 먹을 수 있어서
④ 수확으로 인해 음식이 풍성하고 즐겁게 보내는 날이기 때문에

2. 새로 알게 된 어휘와 문법에 표시하면서 윗글을 다시 읽어 보세요.

1. 앞에서 읽은 글의 내용을 떠올려 보세요. 읽은 내용을 간단히 정리해 보세요.

2. 다음의 (   ) 속 핵심어를 참고하여 빈칸에 알맞은 문장을 써서 글을 완성해 보세요.

1) ______________ (한국, 대표적, 명절, 추석) 가을 저녁, 가을의 달빛이 가장 좋은 밤이라는 의미를 가지고 있다. 음력 8월 15일은 2) ______________. (가을, 한가운데, 추석, 한가위, 부르다)

설날의 대표 음식이 떡국이라면, 3) ______________. (추석, 먹다, 대표적, 음식, 송편) 송편은 쌀가루로 반죽하여 안에 깨, 밤 등을 넣고 둥글게 빚어 찐 떡을 말하는데 찔 때 솔잎을 밑에 깔고 찌기 때문에 송편이라는 이름이 붙었다. 옛날부터 송편을 예쁘게 빚으면 예쁜 자식을 낳는다는 속설이 있다. 그래서 송편을 예쁘게 빚으면 어른들이 "예쁜 자식을 낳겠네."라고 칭찬을 하기도 한다.

추석은 수확이 시작되는 시기에 있는 명절이라서 그동안 농사가 잘되게 해 준 것에 대한 감사와 4) ______________ (내년, 풍년, 기원하다, 마음을 담다) 의미 있는 날이다. 모든 것이 풍성하고, 또 즐거운 놀이로 밤낮을 지내는 날이기 때문에 "더도 말고 덜도 말고 한가위만 같아라."라는 말이 생기기도 하였다.

1. 다음을 잘 읽고 알맞은 어휘를 골라 쓰세요.

적성	이력서	자격증	이직하다	자기 소개서

1) ( ) 성장 과정, 성격, 경력 및 특기 등을 쓴 자신을 소개하는 글이에요.

2) ( ) 어떤 일에 맞는 성격이나 능력이에요.

3) ( ) 지금까지 거쳐 온 학업, 직업, 경험 등을 쓴 글이에요.

4) ( ) 직장을 옮기거나 직업을 바꿔요.

5) ( ) 어떤 자격을 인정해 주는 문서예요.

2. 다음을 잘 읽고 알맞은 표현을 골라 글을 완성해 보세요.

면접	적성에 맞다	이력서	인턴십	자기 소개서

취업 전에는 가장 먼저 1) ( ) 회사를 찾는 것이 중요하다. 내가 무엇을 잘하고 좋아하는지 고민한 후 그것에 맞는 회사를 선택해야 한다. 그리고 그 회사의 경영 철학과 인재상을 파악한 후 그것을 바탕으로 2) ( ) 3) ( ) 써야 한다. 지원하려는 회사, 직무와 관련된 4) ( ) 하거나 자격증을 따 두는 것도 좋다. 그 회사에 대한 풍부한 정보, 관련 경험, 자격증이 있다면 5) ( ) 자신감 있게 자신의 이야기를 잘할 수 있다.

-아/어 가다

1. 빈칸에 알맞은 표현을 써 보세요.

닮다	닮아 가다	변하다	변해 가다
먹다		쓰다	
만들다		알다	
정리하다		끝나다	
모으다		완성하다	

2. 다음과 같이 문장을 바꿔 보세요.

가 : 한국에 온 지 얼마나 됐어요?
나 : 거의 3년이 되었어요. → 거의 3년이 다 되어 가요.

1) 가 : 안나 씨, 지금 어디예요? 몇 시쯤 도착해요?
   나 : 아, 거의 도착했어요. → ______________.
2) 가 : 지난번에 부탁했던 일은 어떻게 됐어요?
   나 : 거의 끝났어요. → ______________.
3) 가 : 재민 씨, 밥 천천히 먹고 연락 주세요.
   나 : 네. 이제 거의 다 먹었어요. → ______________.
4) 가 : 그 책 다 읽고 빌려줄 수 있어요?
   나 : 네. 저 이제 거의 다 읽었어요. → ______________.
5) 가 : 숙제 다 했어요? 어려워요?
   나 : 괜찮아요. 이제 거의 다 했어요. → ______________.

3. 다음과 같이 알맞은 것을 골라 바꾸어 써 보세요.

쓰다	만들다	일하다	연습하다

가: 어떻게 그렇게 피아노를 잘 쳐요?
나: 어릴 때부터 꾸준히 연습해 왔어요.

1) 가: 이 회사에서 일한 지 얼마나 되었어요?
   나: 20년 전부터 여기에서 ______________.
2) 가: 사장님, 이 가게가 그렇게 오래되었다면서요?
   나: 네. 저희 할아버지부터 3대째 냉면만 ______________.
3) 가: 한국어 쓰기를 잘하는 비결이 있어?
   나: 응. 한국어를 배운 다음부터 매일 일기를 ______________.

-아/어 두다

1.

빈칸에 알맞은 표현을 써 보세요.

쓰다	써 두다	받다	받아 두다
알다		보다	
만들다		세우다	
말하다		고치다	
정리하다		예약하다	

2.

다음과 같이 '-아/어 두다'를 사용해서 문장을 바꿔 보세요.

가: 마크 씨, 내일 여행 가지요? 어디로 갈지 정했어요?
나: 네. 여행 계획을 모두 미리 세웠어요. → 네. 여행 계획을 모두 세워 뒀어요.

1) 가: 오늘 백화점에 왜 가요?
   나: 내일 어머니 생신이라 미리 선물 사려고요. → ______________.
2) 가: 자전거 타고 왔어요? 자전거는 어디에 있어요?
   나: 건너편 골목길에 세웠어요. → ______________.
3) 가: 집이 정말 깨끗하네요. 유진 씨 엄청 깔끔한가 봐요.
   나: 손님들 오시기 전에 열심히 청소했어요. → ______________.
4) 가: 줄이 기네요. 오늘은 저 식당 말고 다른 데서 먹어야겠어요.
   나: 아, 걱정 마세요. 제가 미리 예약했어요. → ______________.
5) 가: 방이 엄청 시원하네요.
   나: 네. 제가 조금 전에 에어컨을 켰어요. → ______________.

3.

질문에 대한 답으로 알맞은 것을 골라 보세요.

1) 가: 누가 커피를 바닥에 쏟았나 봐요.
   나: ① 고양이가 엎질러 놓은 거예요. ② 고양이가 엎질러 둔 거예요.
2) 가: 이거 재민 씨가 그린 그림이에요? 지난번에 봤을 때랑 많이 달라졌네요.
   나: ① 동생이 망쳐 두었어요. ② 동생이 망쳐 놓았어요.
3) 가: 마리 씨, 오늘 회의 자료 잘 준비해 뒀어요?
   나: ① 준비해 못 뒀어요. ② 잘 준비해 뒀어요.
4) 가: 수지 씨, 취업 준비 잘하고 있어요? 자격증은 미리 따 두었나요?
   나: ① 바빠서 못 따 두었어요. ② 바빠서 따 못 두었어요.

1. 대화를 듣고 들은 내용으로 맞는 것을 고르세요.

① 유진은 면접 경험이 없다.
② 유진은 인턴십을 알아보려고 한다.
③ 수지는 취업 박람회에 한 번 가 봤다.
④ 수지는 적성에 맞는 회사에 다니고 있다.

2. 다시 대화를 들으면서 빈칸에 알맞은 말을 써 보세요.

유진 : 수지 씨, 1) .... ?

수지 : 아직 적성에 맞는 회사를 찾지 못해서 걱정이에요. 유진 씨는 잘 돼 가요?

유진 : 저는 면접이 조금 어려운 것 같아요. 2) .... 생각이 더욱 많이 들어요.

수지 : 그렇군요. 저도 취직한 선배에게 들었는데 관련 경험이 없으면 면접에서 할 수 있는 말이 많이 없다고 해요. 지금도 늦지 않았으니 인턴을 해 보는 게 어때요? 3) ....

유진 : 네. 취업 박람회에 가서 4) .... 수지 씨도 같이 가요. 거기 가면 수지 씨 적성에 어떤 회사가 잘 맞는지 알아볼 수도 있을 거예요.

수지 : 네. 안 그래도 안 가 봐서 가 보고 싶었어요. 우리 언제 갈까요?

3. 대화를 듣고 따라 해 보세요.

1) 위의 대화를 보면서 듣고 따라 해 보세요.

2) 위의 대화를 보지 않고 들으면서 따라 해 보세요.

4. 발음과 억양에 유의해서 다음 문장을 듣고 따라 해 보세요.

안 그래도/안 가 봐서/가 보고 싶었어요.

1. 다음 글을 읽고 질문에 답하세요.

세종연구소에서 실시한 설문 조사 결과에 따르면 세대별로 선호하는 직장의 조건이 다른 것으로 밝혀졌다. 20~30대는 전체 응답자 중 44%가 월급이 가장 중요하다고 답했으며 28%가 복지 제도라고 응답한 것으로 조사되었다. 이어 자유로운 분위기(13%), 개인의 발전(10%), 평생직장(5%)이 각각 뒤를 이었다. 반면에 40~50대는 20~30대와 마찬가지로 월급이 제일 중요하다고 응답한 비율이 가장 높았으나(44%) 20~30대와 달리 평생직장이 29%로 그 뒤를 이어 차이를 보였다. 이어서 복지 제도(12%), 승진 기회(10%), 자부심(5%)이 그 뒤를 이었다.

조사 결과 두 세대 모두 경제적인 요인을 가장 중요하게 생각하고 있는 것은 동일하지만, 20~30대는 회사 밖 자신의 삶의 질에, 40~50대는 젊은 세대보다 안정성에 큰 가치를 두고 있다는 점에서 차이를 보였다. 예전에는 자신이 그만둘 때까지 일할 수 있는 권리가 보장되는 회사가 선호되었지만 요즘 젊은 세대들은 자신의 가치나 삶의 방향에 따라 직장을 바꾸는 것에 두려움이 없고 회사보다 자신의 삶을 더욱 소중하게 생각하기 때문에 복지나 *워라밸이 좋은 회사를 더욱 선호하는 경향이 강하다. 이러한 경향에 따라 20~30대는 승진 기회나 자부심보다 회사 내의 자유로운 분위기, 개인의 발전을 더욱 중시한다는 것을 확인할 수 있다.

*워라밸(work life balance): 일과 삶(여가)의 균형을 추구한다는 뜻

1) 윗글의 내용과 같은 것을 고르세요.

① 20대는 자부심을 가장 중요하게 생각한다.
② 세대별 선호하는 직장의 조건에 차이가 나지 않는다.
③ 두 세대 모두 경제적인 요인을 가장 중요하게 생각한다.
④ 40대는 복지 제도보다 승진 기회를 더욱 중요하게 생각한다.

2) 젊은 세대가 중요하게 생각하는 것은 뭐예요?

① 자신의 삶의 질이 보장되는 것
② 승진 기회가 많은 회사를 찾는 것
③ 평생 일할 수 있는 직장을 찾는 것
④ 자부심을 느낄 수 있는 회사를 찾는 것

2. 새로 알게 된 어휘와 문법에 표시하면서 윗글을 다시 읽어 보세요.

1. 앞에서 읽은 글의 내용을 떠올려 보세요. 읽은 내용을 간단히 정리해 보세요.

2. 다음의 ( ) 속 핵심어를 참고하여 빈칸에 알맞은 문장을 써서 글을 완성해 보세요.

세종연구소에서 실시한 설문 조사 결과에 따르면 1) ______ . (세대별, 선호하다, 직장 조건, 다르다, 밝혀지다)
2) ______ (20~30대, 전체 응답자, 44%, 월급, 가장 중요하다, 답하다)
28%가 복지 제도라고 응답한 것으로 조사되었다. 이어 자유로운 분위기(13%), 개인의 발전(10%), 평생직장(5%)이 각각 뒤를 이었다. 반면에 40~50대는 20~30대와 마찬가지로 월급이 제일 중요하다고 응답한 비율이 가장 높았으나(44%) 20~30대와 달리 평생직장이 29%로 그 뒤를 이어 차이를 보였다. 이어서 복지 제도(12%), 승진 기회(10%), 자부심(5%)이 그 뒤를 이었다.
3) ______ , (두 세대, 경제적인 요인, 가장 중요하게 생각하다, 동일하다)
20~30대는 회사 밖 자신의 삶의 질에, 40~50대는 젊은 세대보다 안정성에 큰 가치를 두고 있다는 점에서 차이를 보였다. 예전에는 자신이 그만둘 때까지 일할 수 있는 권리가 보장되는 회사가 선호되었지만 4) ______ (요즘 젊은 세대, 자신의 가치, 삶의 방향, 따르다, 직장을 바꾸다)
것에 두려움이 없고 회사보다 5) ______ (자신의 삶, 더욱, 소중하게 생각하다) 복지나 *워라밸이 좋은 회사를 더욱 선호하는 경향이 강하다. 이러한 경향에 따라 20~30대는 승진 기회나 자부심보다 회사 내의 자유로운 분위기, 개인의 발전을 더욱 중시한다는 것을 확인할 수 있다.

*워라밸(work life balance): 일과 삶(여가)의 균형을 추구한다는 뜻

1. 다음을 잘 읽고 알맞은 어휘를 골라 쓰세요.

부동산 | 생활비 | 등록금 | 장학금 | 수강 신청

1) ( ) 학교에 등록할 때 내는 돈이에요.

2) ( ) 생활하는 데 드는 비용이에요.

3) ( ) 강의를 듣기 위해 과목을 신청하는 것이에요.

4) ( ) 집이나 땅을 사고파는 일을 대신 해 주는 곳이에요.

5) ( ) 성적이 우수한 학생에게 주는 돈이에요.

2. 다음을 잘 읽고 알맞은 표현을 골라 글을 완성해 보세요.

집을 구하다 | 생활비 | 수강 신청 | 장학금 | 아르바이트

한국에 유학을 오자마자 먼저 1) (   ) 부동산에 갔다. 학교 근처에 있는 원룸들을 여러 군데 살펴봤는데 집들이 거의 다 비슷해서 그중 가장 깨끗하고 학교랑 가까운 방으로 계약을 했다. 동네가 아직 익숙하지 않아서 이곳저곳 둘러보며 학교 근처를 구경했다. 내일은 친구를 만나 이번 학기에 들을 과목들을 2) (   ) 하기로 했다. 이번 학기는 공부를 열심히 해서 3) (   ) 받는 것이 나의 목표이다. 4) (   ) 벌기 위해 5) (   ) 하고 공부도 열심히 하며 재미있는 유학 생활을 하고 싶다.

-기는 하다

1.

다음과 같이 문장을 바꿔 보세요.

이 음식은 맛있어요. 그런데 조금 매워요.
→ 이 음식은 맛있기는 한데 조금 매워요.

1) 이 노트북은 디자인이 예뻐요. 그런데 조금 무거워요.

→ ....

2) 매운 음식을 잘 먹어요. 그런데 좋아하지 않아요.

→ ....

3) 유학 생활이 힘들어요. 그렇지만 재미있어요.

→ ....

4) 오늘 모임에 가요. 그런데 집에 일찍 올 거예요.

→ ....

5) 기숙사 방이 좁아요. 그런데 저는 혼자 살아서 괜찮아요.

→ ....

2.

질문에 대한 답으로 알맞은 것을 골라 보세요.

1) 가 : 재민 씨, 떡볶이 좋아해요?
   나 : ① 좋아하기는 하는데 자주 먹어요. ② 좋아하기는 하는데 자주 못 먹어요.

2) 가 : 한국어 공부 어때요?
   나 : ① 어렵기는 한데 힘들어요. ② 어렵기는 한데 재미있어요.

3) 가 : 안나 씨, 그 노트북 어때요?
   나 : ① 노트북이 좋기는 한데 무거워요. ② 노트북이 좋기는 한데 가벼워요.

4) 가 : 오늘 날씨도 추운데 운동하러 가요?
   나 : ① 춥기는 한데 날씨가 좋잖아요. ② 춥기는 한데 날씨가 흐리잖아요.

-는 중이다

1. 다음과 같이 문장을 바꿔 보세요.

> 가: 재민 씨, 지금 어디예요?
> 나: 지금 가고 있어요. → 가는 중이에요.

1) 가: 수지 씨, 오늘 모임에 갈 거예요?
   나: 지금 고민하고 있어요. → ______________.

2) 가: 발표 준비는 다 했어요?
   나: 아직 발표 자료를 만들고 있어요. → ______________.

3) 가: 제가 보내 준 노래 어때요? 정말 좋죠?
   나: 아, 잠깐만요. 지금 듣고 있어요. → ______________.

4) 가: 안나 씨, 지금 통화할 수 있어요?
   나: 미안해요. 지금 회의하고 있어요. → ______________.

5) 가: 요즘 어떻게 지내고 있어요?
   나: 요즘 유학 준비하고 있어요. → ______________.

2. 질문에 대한 답으로 알맞은 것을 골라 보세요.

1) 가: 이번에 졸업하지요?
   나: ① 네. 졸업하는 중이에요. ② 아니요. 아직 공부하는 중이에요.

2) 가: 뭘 그렇게 재미있게 보고 있어요?
   나: ① 한국 드라마를 보는 중이에요. ② 한국 드라마가 재미있는 중이에요.

3) 가: 요즘 어떻게 지내요?
   나: ① 방학이라서 쉬는 중이에요. ② 일이 많아서 좀 바쁜 중이에요.

4) 가: 한국어 공부는 좀 어때요?
   나: ① 아직 잘 못하는 중이에요. ② 어렵지만 열심히 공부하는 중이에요.

1. 대화를 듣고 들은 내용으로 맞는 것을 고르세요.

01

① 안나는 유학 준비를 모두 끝냈다.

② 안나는 유학 생활을 준비하고 있다.

③ 안나는 학교는 정했지만, 전공은 아직 정하지 못했다.

④ 소피는 먼저 유학 간 선배들에게 연락을 해 보라고 조언했다.

2. 다시 대화를 들으면서 빈칸에 알맞은 말을 써 보세요.

소피 : 안나, 잘 지내고 있었어? 1) ______________________________ ?

안나 : 응. 소피. 2) ______________________________ 너무 준비할 게 많아서 아직도 갈 길이 멀어.

소피 : 맞아. 나도 유학 준비할 때 아무것도 몰라서 3) ______________________________ 그랬던 것 같아. 학교도 정한 거야?

안나 : 응. 세 군데 정도 정해서 4) ______________________________ .

소피 : 그렇구나! 그럼 그 학교 홈페이지 가서 학과 소개 글 한번 읽어 봐. 그리고 학교에 유학생을 위한 상담 서비스도 있을 테니 거기에 궁금한 것도 문의해 보고.

안나 : 응. 그래야겠다! 알려 줘서 고마워!

3. 대화를 듣고 따라 해 보세요.

1) 위의 대화를 보면서 듣고 따라 해 보세요.

2) 위의 대화를 보지 않고 들으면서 따라 해 보세요.

4. 발음과 억양에 유의해서 다음 문장을 듣고 따라 해 보세요.

서류는 모두 준비해 놓고/면접 준비하는 중이야.

1. 다음 글을 읽고 질문에 답하세요.

한국대학교 한국어학과 면접 후기

안녕하세요? 저는 이번에 한국대학교 한국어학과 면접을 본 학생입니다! 제가 이 사이트에서 도움을 받은 것이 많아서 저도 도움이 되고자 후기를 남깁니다.

먼저, 면접은 저 포함해서 12명 정도 본 것 같아요. 대기실에서 기다리다가 한 명씩 강의실에 들어가서 면접을 봤습니다. 대기실에서 기다릴 때 엄청 긴장되기 때문에 따뜻한 차를 마시거나 옆 사람이랑 간단한 대화라도 하시는 것을 추천합니다. 제 순서가 돼서 들어가니까 교수님 세 분이 앉아 계셨어요. 한 분씩 차례대로 지원 동기와 성격, 졸업 후 계획이 무엇인지 물어보셨습니다. 세 분 모두 웃는 얼굴로 들어 주셔서 긴장하지 않고 잘 말씀드렸던 것 같아요. 추가로, 졸업하고 무엇을 하고 싶은지 물어보셨습니다. 이 부분은 미리 준비를 많이 못 해서 간단하게만 대답했습니다. 면접은 편안한 분위기에서 진행이 되었던 것 같아요. 몰라도 최대한 자신감 있게 대답하려고 했고 결국 오늘 오후에 합격 소식을 들었습니다.

한국대학교 입학을 준비하시는 분들 모두 합격하셔서 나중에 만날 수 있으면 좋겠습니다. 더 궁금한 것이 있으신 분은 메일 주시면 상세하게 답변 드리겠습니다!

1) 윗글의 내용과 같은 것을 고르세요.

① 이 사람은 한국대학교에 합격하였다.
② 이 사람은 이 사이트에 처음 방문했다.
③ 이 사람은 면접관의 질문에 답을 못 했다.
④ 이 사람은 졸업 후 계획에 대한 답변을 잘 준비하였다.

2) 이 사람이 이 사이트에 글을 쓴 이유는 뭐예요?

① 자기를 소개하고 싶어서
② 이 사이트를 만든 사람이라서
③ 글을 많이 쓰면 상품을 받을 수 있어서
④ 이 사이트에서 도움을 받은 것이 많아서

2. 새로 알게 된 어휘와 문법에 표시하면서 윗글을 다시 읽어 보세요.

1. 앞에서 읽은 글의 내용을 떠올려 보세요. 읽은 내용을 간단히 정리해 보세요.

2. 다음의 (   ) 속 핵심어를 참고하여 빈칸에 알맞은 문장을 써서 글을 완성해 보세요.

한국대학교 한국어학과 면접 후기

안녕하세요? 저는 이번에 한국대학교 한국어학과 면접을 본 학생입니다! 제가 이 사이트에서 도움을 받은 것이 많아서 저도 후기를 남깁니다.

먼저, 면접은 저 포함해서 12명 정도 본 것 같아요. 대기실에서 기다리다가 한 명씩 강의실에 들어가서 면접을 봤습니다. 대기실에서 기다릴 때 엄청 긴장되기 때문에 1) ______________________. (따뜻한 차, 마시다, 옆 사람, 간단한 대화, 추천하다) 제 순서가 돼서 들어가니까 교수님 세 분이 앉아 계셨어요. 한 분씩 차례대로 2) ______________________. (지원 동기, 성격, 졸업 후 계획, 물어보시다) 세 분 모두 웃는 얼굴로 들어 주셔서 긴장하지 않고 잘 말씀드렸던 것 같아요. 추가로, 졸업하고 무엇을 하고 싶은지 물어보셨습니다. 이 부분은 미리 3) ______________________. (준비를 못 하다, 간단하게 대답하다) 4) ______________________. (면접, 편안한 분위기) 몰라도 최대한 자신감 있게 대답하려고 했고 결국 오늘 오후에 합격 소식을 들었습니다.

한국대학교 입학을 준비하시는 분들 모두 합격하셔서 나중에 만날 수 있으면 좋겠습니다. 더 궁금한 것이 있으신 분은 메일 주시면 상세하게 답변 드리겠습니다!

/ 듣기 지문

/ 모범 답안

/ 자료 출처

01 할아버지, 할머니 이야기도 들어 드렸어요

듣고 말하기	1~3번	9쪽

안나: 유진, 요즘도 요양원에 봉사 활동하러 가?
유진: 응. 지난 방학 때부터 시간 될 때마다 가고 있지.
안나: 다음에 또 언제 가? 나도 같이 가고 싶어서.
유진: 다음 주 주말에 가 볼까 했는데 잘됐다. 혹시 전에 봉사 활동 해 본 적 있어?
안나: 요양원에서는 해 본 적 없어. 공원 청소나 도서관에서 아이들한테 책 읽어 주는 봉사 활동은 해 봤어. 요양원에서 해 본 적 없으면 안 될까?
유진: 아니. 요양원에서 봉사 활동 해 본 적 없어도 괜찮아. 할머니, 할아버지들 운동하시는 것도 도와드리고, 이야기하시는 것도 들어 드리면 돼.
안나: 응. 그럼 다음 주 주말에 같이 가자.

듣고 말하기	4번	9쪽

발음과 억양에 유의해서 다음 문장을 듣고 따라 해 보세요.

공원 청소나/도서관에서/아이들한테/책 읽어 주는/봉사 활동은 해 봤어.

02 티켓을 구하는 게 쉽지 않았을 텐데 어떻게 구했어요?

듣고 말하기	1~3번	15쪽

수지: 안나, 나 지난주에 드디어 유새이 콘서트에 다녀왔어.
안나: 와! 정말? 근데 티켓을 구하는 게 쉽지 않았을 텐데 수지 너는 어떻게 구했어?
수지: 말도 마. 티켓을 못 구할까 봐 엄청 걱정했어. 가족들하고 친구들한테 부탁해서 정말 힘들게 예매했어. 티켓을 사자마자 매진이 되었더라고. 얼마나 다행인지 몰라.
안나: 정말 대단하네. 그래서 콘서트는 어땠어?
수지: 실제로 보니까 무대가 더 환상적이었어. 마지막에 다 같이 노래를 부를 때는 눈물도 조금 나더라고.
안나: 정말 좋았나 보네. 다음에도 또 갈 거야?
수지: 응! 그럼. 다음에는 팬 사인회에도 가 보려고. 얼굴을 가까이에서 볼 수 있다고 하더라. 사진도 찍을 수 있고.

듣고 말하기	4번	15쪽

발음과 억양에 유의해서 다음 문장을 듣고 따라 해 보세요.

다음에는/팬 사인회에도/가 보려고.
얼굴을/가까이에서/볼 수 있다고 하더라.

03 매운 음식을 진짜 잘 먹는구나

듣고 말하기	1~3번	21쪽

마리: 주노, 이 비빔밥 좀 매운 것 같은데 넌 괜찮아?
주노: 음. 그래? 난 하나도 안 매운데?
마리: 너는 매운 음식을 좋아하는구나. 나는 매운 음식을 좋아하기는 하지만 먹고 난 후에는 입안이 얼얼하고 속이 쓰려서 자주 먹지는 않거든.
주노: 나는 이 정도는 괜찮아. 우리 고향 음식 중에 더 매운 음식도 많거든.
마리: 그래? 그럼 다음에 만날 때 얼큰한 음식을 같이 먹으러 가자. 요즘 유행하는 국물 떡볶이 어때?
주노: 아, 나 그거 뭔지 알아. 인터넷에서 꽤 유명하잖아. 나도 매콤한 국물 떡볶이가 어떤 맛일까 궁금해. 잘됐다. 같이 먹으러 가자.

듣고 말하기	4번	21쪽

발음과 억양에 유의해서 다음 문장을 듣고 따라 해 보세요.

음, 그래?/난 하나도 안 매운데?
그럼/다음에 만날 때/얼큰한 음식을/같이 먹으러 가자.

04 채소부터 씻어서 썰어 놓자

듣고 말하기	1~3번	27쪽

수진: 유진, 우리 과제도 다 했고 배도 좀 고픈데 김치볶음밥하고 라면 끓여 먹을까?
유진: 그래. 좋아. 뭐부터 하면 돼?
수진: 먼저 김치를 잘게 썰어 줘. 그다음에 양파하고 햄도 썰어 줄래? 나는 라면을 끓일게.
유진: (잠시 후) 다 썰었어. 이제 프라이팬에다가 김치를 넣고 볶을까?
수진: 먼저 잘게 썬 김치와 양파를 넣고 볶다가 밥을 넣으면 돼. 그다음에 햄을 넣고 볶자.
유진: 알겠어. 너는 라면은 다 끓였어? 나는 매운 라면을 좋아하니까 고추도 넣자.
수진: 응. 그럼 더 맛있겠다. 빨리 먹고 싶다.

듣고 말하기	4번	27쪽

발음과 억양에 유의해서 다음 문장을 듣고 따라 해 보세요.

나는/라면을 끓일게.

05 딴생각을 하다가 버스를 놓쳐 버렸어요

듣고 말하기	1~3번	33쪽

안나: 유진, 왜 이렇게 늦었어?
유진: 안나, 미안해. 많이 기다렸지? 핸드폰을 두고 와서 집에 다시 갔다가 왔어.
안나: 정말? 설마 버스를 탔다가 다시 돌아갔다 온 거야?
유진: 아니야. 다행히 버스를 타자마자 알아서 바로 다시 내렸어. 요즘 일이 많아서 그런지 자꾸 딴생각을 해.
안나: 나도 가끔 그럴 때가 있어. 지난주에 우산을 버스에 놓고 내려서 결국 잃어버렸어.
유진: 우리 정말 요즘 왜 이럴까? 큰일이야. 실수하지 않게 우리 같이 정신 차리자.

듣고 말하기	4번	33쪽

발음과 억양에 유의해서 다음 문장을 듣고 따라 해 보세요.

실수하지 않게/우리 같이/정신 차리자.

06 제가 좀 참을걸 그랬어요

듣고 말하기	1~3번	39쪽

마리: 재민 씨, 저한테 뭐 잘못한 일 없어요?
재민: 잘못한 일요? 글쎄요. 제가 마리 씨에게 뭘 잘못했나요?
마리: 굳이 말을 해야 알아요? 재민 씨가 지난번에 같이 밥 먹자고 했잖아요. 한참을 기다렸었는데 그 뒤로 연락이 없었잖아요. 저는 재민 씨가 같이 밥 먹자고 해서 그날 저녁에도 시간을 비웠어요. 그런데 연락이 없었어요. 그리고 주말에도 다시 시간을 비웠어요. 그런데 또 연락이 없었어요.
재민: 제가요? 언제 그랬지요? 아! 아마 습관처럼 했던 말인 것 같아요. 한국 사람들은 인사하면서 그렇게 말해요. '밥 한번 먹자' 아니면 '차 한잔 하자' 이렇게요. 제가 미리 연락할걸 그랬네요.
마리: 아, 그런 거예요? 저는 그런 줄도 모르고 재민 씨 연락을 계속 기다렸어요. 그런 줄 알았으면 다른 약속을 잡을걸 그랬네요.
재민: 그럼 제가 사과하는 의미에서 저녁을 살게요. 오늘 같이 저녁 먹어요.
마리: 이번에는 진짜지요?

듣고 말하기	4번	39쪽

발음과 억양에 유의해서 다음 문장을 듣고 따라 해 보세요.

굳이 말을 해야 알아요?/재민 씨가/지난번에/같이 밥 먹자고 했잖아요.

07 캠핑을 같이 간다거나 친목 모임을 해요

듣고 말하기	1~3번	45쪽

재민: 주노 씨, 캠핑 동호회 모임에 갈 준비는 다 했어요?
주노: 네. 캠핑 모임에 나가는 건 처음이라 살짝 긴장도 되네요.
재민: 에이. 똑같아요. 캠핑을 좋아하는 사람들끼리 모여서 같이 캠핑 용품에 대해 이야기한다거나 정보를 공유하고 그런 거지요.
주노: 그래도 이렇게 동호회 모임에 가는 것은 좀 어색해서요. 저는 재민 씨만 믿고 따라갈게요.
재민: 네. 저만 믿으세요! 거기 가면 다들 새로운 회원이 와서 반가워 가지고 주노 씨를 좋아할 거예요.
주노: 사실 저도 기대가 많이 돼요. 캠핑을 좋아하지만 아직 용품에 대해서도 잘 모르고 정보를 찾아본다거나 그런 적이 없어서요.
재민: 그러니까요. 이번 기회에 좋은 사람들도 많이 만나고 정보도 같이 공유해요. 분명 후회하지 않고 멋진 시간을 보낼 거예요.

듣고 말하기	4번	45쪽

발음과 억양에 유의해서 다음 문장을 듣고 따라 해 보세요.

분명 후회하지 않고/멋진 시간을 보낼 거예요.

08 일하느라고 바빠서 오랫동안 못 갔어요

듣고 말하기	1~3번	51쪽

주노: 마리 씨, 휴가 계획 세웠어요?
마리: 네. 주노 씨. 저는 한국에 다녀오려고요.
주노: 한국에는 처음 가는 거예요?
마리: 네. 처음이에요. 제 친구가 한국 사람인데 일하느라고 바빠서 오랫동안 고향에 못 갔다고 하더라고요. 그래서 그 친구하고 같이 한국에 가기로 했어요.
주노: 저는 작년에 한국에 갔었는데 볼거리가 정말 많아서 좋았어요. 다음에 기회가 있으면 또 가 보고 싶어요.
마리: 저도 기대가 많이 돼요. 친구 사촌 동생이 결혼을 한다고 해서 결혼식에도 같이 가기로 했어요. 그리고 휴가 기간이 길어서 서울에도 가고 다른 도시에도 가 보려고요.
주노: 와. 저는 서울만 가 보고 다른 곳은 못 가 봤는데 부러워요! 다녀와서 휴가 어땠는지 꼭 들려주세요.

듣고 말하기	4번	51쪽

발음과 억양에 유의해서 다음 문장을 듣고 따라 해 보세요.

제 친구가 한국 사람인데/일하느라고 바빠서/오랫동안/고향에 못 갔다고 하더라고요.

09 두 사람이 많이 부러운 모양이에요

듣고 말하기	1~3번	57쪽

수지: 재민 씨, 사촌 동생 결혼식 잘 다녀왔어요?
재민: 네. 잘 다녀왔어요. 동생이 제주도로 신혼여행 가서 사진도 보내 줬는데 한번 볼래요? 행복하게 웃는 모습을 보니 저도 기분이 좋네요.
수지: 와, 정말 행복해 보이네요. 신혼여행이 아주 즐거운 모양이에요.
재민: 요즘같이 날씨가 좋을 때는 어디를 가도 즐거울 것 같아요. 제주도에서 수영도 하고, 등산도 하고 맛있는 음식도 먹으면서 즐겁게 보내고 있는 것 같아요. 저도 여행 가고 싶네요.
수지: 재민 씨도 주말에 가까운 데라도 다녀오세요!
재민: 네. 그래서 이번 주말에 캠핑하러 가려고요. 수지 씨 같이 갈래요?
수지: 정말요? 좋아요! 저도 캠핑 좋아하거든요.

듣고 말하기	4번	57쪽

발음과 억양에 유의해서 다음 문장을 듣고 따라 해 보세요.

행복하게 웃는 모습을 보니/저도 기분이 좋네요.
주말에/가까운 데라도/다녀오세요!

10 떡국을 한 그릇 다 먹었더니 배가 불러요

듣고 말하기	1~3번	63쪽

주노: 마리 씨, 설날 잘 보냈어요?
마리: 네. 주노 씨. 한국 친구가 집에 초대해 줘서 다녀왔어요. 설날에 먹는 떡국도 먹고 윷놀이도 하고 특별한 경험이었어요.
주노: 재미있었겠네요. 떡국 맛은 어땠어요?
마리: 처음 먹어 봤는데 맛있던데요. 맛있어서 너무 많이 먹었더니 배가 진짜 불렀어요.
주노: 저도 명절이라 음식을 많이 먹었더니 살이 조금 찐 것 같아요. 마리 씨 그래도 한국 설날도 직접 경험해 보고 좋은 시간을 보냈네요.
마리: 네. 친구 부모님과 할아버지께 세배도 하고 세뱃돈도 받았어요. 내년에도 또 가고 싶어요.
주노: 내년에는 우리 집으로 오세요. 미리 초대할게요!

듣고 말하기	4번	63쪽

발음과 억양에 유의해서 다음 문장을 듣고 따라 해 보세요.

설날에 먹는/떡국도 먹고/윷놀이도 하고/특별한 경험이었어요.

11 자격증 준비나 외국어 공부도 미리 해 두면 좋을 거야

듣고 말하기	1~3번	69쪽

유진: 수지 씨, 요즘 취업 준비 잘 돼 가요?
수지: 아직 적성에 맞는 회사를 찾지 못해서 걱정이에요. 유진 씨는 잘 돼 가요?
유진: 저는 면접이 조금 어려운 것 같아요. 면접을 몇 번 해 보니 경력을 쌓아 두는 게 중요하겠다는 생각이 더욱 많이 들어요.
유진: 그렇군요. 저도 취직한 선배에게 들었는데 관련 경험이 없으면 면접에서 할 수 있는 말이 많이 없다고 해요. 지금도 늦지 않았으니 인턴을 해 보는 게 어때요? 자격증도 따 두고요.
유진 : 네. 취업 박람회에 가서 적당한 인턴 자리를 찾아봐야겠어요. 수지 씨도 같이 가요. 거기 가면 수지 씨 적성에 어떤 회사가 잘 맞는지 알아볼 수도 있을 거예요.
수지: 네. 안 그래도 안 가 봐서 가 보고 싶었어요. 우리 언제 갈까요?

듣고 말하기	4번	69쪽

발음과 억양에 유의해서 다음 문장을 듣고 따라 해 보세요.

안 그래도/안 가 봐서/가 보고 싶었어요.

12 한국으로 유학을 가려고 준비하는 중이에요

듣고 말하기	1~3번	75쪽

소피: 안나, 잘 지내고 있었어? 유학 준비는 어떻게 돼 가?

안나: 응. 소피. 전공을 정하기는 했는데 너무 준비할 게 많아서 아직도 갈 길이 멀어.

소피: 맞아. 나도 유학 준비할 때 아무것도 몰라서 유학원에 전화도 해 보고, 사이트도 검색해 보고 그랬던 것 같아. 학교도 정한 거야?

안나: 응. 세 군데 정도 정해서 서류는 모두 준비해 놓고 면접 준비하는 중이야.

소피: 그렇구나! 그럼 그 학교 홈페이지 가서 학과 소개 글 한번 읽어 봐. 그리고 학교에 유학생을 위한 상담 서비스도 있을 테니 거기에 궁금한 것도 문의해 보고.

안나: 응. 그래야겠다! 알려 줘서 고마워!

듣고 말하기	4번	75쪽

발음과 억양에 유의해서 다음 문장을 듣고 따라 해 보세요.

서류는 모두 준비해 놓고/면접 준비하는 중이야.

모범 답안

3B

 할아버지, 할머니 이야기도 들어 드렸어요

어휘와 표현	1번	6쪽

1) 보람을 느끼다
2) 봉사 활동을 하다
3) 시간을 알차게 보내다
4) 새로운 것을 깨닫다
5) 어학연수를 하다

어휘와 표현	2번	6쪽

1) 봉사 활동을
2) 시간을 알차게 보낼
3) 뿌듯하다
4) 보람을 느낄
5) 잊지 못할 경험을 할

문법 1	1번	7쪽

가다	가도	앉다	앉아도
먹다	먹어도	작다	작아도
돕다	도와도	보다	봐도
듣다	들어도	덥다	더워도
좋다	좋아도	쓰다	써도

문법 1	2번	7쪽

1) 저 옷이 비싸도 꼭 사고 싶어요
2) 저는 늦게 자도 아침 6시에 꼭 일어나요
3) 약을 먹어도 낫지 않아요
4) 길이 막혀도 명절에 고향에 갈 거예요

문법 1	3번	7쪽

1) ②
2) ②
3) ②
4) ①

문법 2	1번	8쪽

사다	사 드리다	찾다	찾아 드리다
세우다	세워 드리다	읽다	읽어 드리다
치우다	치워 드리다	부르다	불러 드리다
만들다	만들어 드리다	돕다	도와 드리다
듣다	들어 드리다	보다	봐 드리다

문법 2	2번	8쪽

1) 포장해 드릴게요
2) 보여 드릴게요
3) 들어 드릴까요
4) 찍어 드릴게요

문법 2	3번	8쪽

1) 들어 주었다
2) 도와드렸다
3) 찾아 준
4) 불러 드릴

듣고 말하기	1번	9쪽

③

듣고 말하기	2번	9쪽

1) 봉사 활동하러 가
2) 다음 주 주말에 가 볼까 했는데 잘됐다
3) 요양원에서는 해 본 적 없어
4) 봉사 활동 해 본 적 없어도 괜찮아
5) 운동하시는 것도 도와드리고, 이야기하시는 것도 들어 드리면 돼

읽기	1번	10쪽

1) ①
2) ③

쓰기 | 1번 | 11쪽

교육 봉사 동아리에서 재능을 기부해 주실 분을 찾습니다. 이 동아리에서는 작은 도시의 아이들에게 그림, 음악, 책 읽기, 운동 등 여러 가지를 가르쳐 주는 봉사 활동을 하고 있습니다. 특별한 능력이나 자격이 없어도 괜찮습니다. 무엇이든 아이들과 함께 할 수 있는 일이면 좋습니다. 아이들을 위해서 교육 봉사 활동을 할 분이 있으면 연락해 주세요.

쓰기 | 2번 | 11쪽

1) 저희에게 재능을 기부해 주실 분을 찾습니다
2) 아이들에게 필요한 여러 가지 교육을 하는 봉사 활동을 하고 있습니다
3) 작은 도시에 사는 아이들은 새로운 것을 배울 기회가 많지 않습니다
4) 아주 특별한 능력이나 자격이 없어도 괜찮습니다
5) 아이들과 함께 잊지 못할 경험을 만들어 보지 않겠습니까

02 티켓을 구하는 게 쉽지 않았을 텐데 어떻게 구했어요?

어휘와 표현 | 1번 | 12쪽

1) 매진되다
2) 환상적이다
3) 콘서트
4) 감동적이다
5) 표를 예매하다

어휘와 표현 | 2번 | 12쪽

1) 콘서트에
2) 팬클럽에 가입한
3) 표가 매진되었다는
4) 환상적이었다
5) 감동적이었다

문법 1 | 1번 | 13쪽

입다	입을까 봐	보다	볼까 봐
읽다	읽을까 봐	쉬다	쉴까 봐
예쁘다	예쁠까 봐	크다	클까 봐
작다	작을까 봐	아프다	아플까 봐
맵다	매울까 봐	살다	살까 봐

문법 1 | 2번 | 13쪽

1) 비행기를 못 탈까 봐 새벽에 일찍 출발했어요
2) 길이 막힐까 봐 지하철을 타고 왔어요
3) 자격증 시험을 보는데 떨어질까 봐 긴장이 돼요
4) 눈이 많이 오면 길이 얼어서 미끄러울까 봐 걱정이 돼요

문법 1 | 3번 | 13쪽

1) 매울까 봐
2) 찔까 봐
3) 늦을까 봐
4) 수업 시간에 졸까 봐

문법 2 | 1번 | 14쪽

먹다	먹을 텐데	가다	갈 텐데
읽다	읽을 텐데	배우다	배울 텐데
만들다	만들 텐데	가르치다	가르칠 텐데
덥다	더울 텐데	예쁘다	예쁠 텐데
있다	있을 텐데	없다	없을 텐데

문법 2 | 2번 | 14쪽

1) 내일 날씨가 추울 텐데 따뜻하게 입으세요
2) 박 선생님은 오전에 바쁘실 텐데 내일 찾아가 보세요
3) 콘서트 티켓을 구하기 힘들 텐데 걱정이에요
4) 안나 씨는 도서관에 있을 텐데 도서관에 가 보세요

문법 2 | 3번 | 14쪽

1) ○/×
2) ○/×
3) ○/×
4) ×/○

듣고 말하기 | 1번 | 15쪽

②

듣고 말하기 | 2번 | 15쪽

1) 쉽지 않았을 텐데
2) 티켓을 못 구할까 봐
3) 매진이 되었더라고
4) 환상적이었어
5) 팬 사인회에도 가 보려고

읽기 | 1번 | 16쪽

1) ④
2) ①

쓰기 | 1번 | 17쪽

이번 주말에 나는 바자회에 구경을 하러 갈 것이다. 바자회가 불우 이웃에 도움이 되기 때문에 나는 자주 바자회에 참여하려고 노력한다. 이번 바자회는 배우 김민호 씨가 참여한다. 김민호 씨가 기부한 물건도 살 수 있고 직접 만날 수도 있다. 나는 이번 바자회가 기대된다.

쓰기	2번	17쪽

1) 바자회 구경을 하러 갈 계획이다
2) 시간이 있을 때마다 바자회에 참여하려고 노력한다
3) 기부한 물건도 살 수 있고 직접 만날 수도 있다
4) 환경을 생각하는 캠페인도 함께 하고 있다
5) 이번 바자회가 기대된다

03 매운 음식을 진짜 잘 먹는구나

어휘와 표현	1번	18쪽

1) 속이 쓰리다
2) 매콤하다
3) 바삭하다
4) 담백하다
5) 속이 편안하다

어휘와 표현	2번	18쪽

1) 매웠다
2) 얼큰해서
3) 속이 쓰려서
4) 속이 편안할
5) 입안이 얼얼할

문법 1	1번	19쪽

1) 아이스크림은 하루에 한 개만 먹는 게 좋아요. 많이 먹으면 배가 아프거든요
2) 한국어 발음이 좋아졌어요. 하루에 한 시간씩 연습했거든요
3) 오늘은 아침을 못 먹었어요. 늦잠을 잤거든요
4) 저는 커피를 마시지 않을 거예요. 커피를 마시면 밤에 잠을 잘 못 자거든요

문법 1	2번	19쪽

1) 내일 중요한 시험이 있거든요
2) 할머니께서 주무시잖아
3) 아버지 생신이잖아
4) 잘 들어 주거든요

문법 2	1번	20쪽

가다	가는구나	보다	보는구나
크다	크구나	먹다	먹는구나
바쁘다	바쁘구나	작다	작구나
많다	많구나	듣다	듣는구나
팔다	파는구나	춥다	춥구나

문법 2	2번	20쪽

1) 하늘이 정말 맑고 파랗구나
2) 교실이 많이 춥구나
3) 넌 운동을 정말 좋아하는구나
4) 이 가수는 노래를 정말 잘 부르는구나

문법 2	3번	20쪽

1) ×
2) ○
3) ×
4) ○

듣고 말하기	1번	21쪽

①

듣고 말하기	2번	21쪽

1) 안 매운데
2) 매운 음식을 좋아하는구나
3) 입안이 얼얼하고 속이 쓰려서
4) 얼큰한 음식을
5) 매콤한 국물 떡볶이가

읽기	1번	22쪽

1) ③
2) ②

쓰기	1번	23쪽

한국인과 한국에 살고 있는 외국인을 대상으로 좋아하는 한국 음식에 대한 설문 조사를 실시하였다. 그 결과 한국인이 좋아하는 음식을 순서대로 살펴보면, 1위가 김치, 2위는 된장찌개, 3위는 불고기, 4위는 비빔밥, 5위는 잡채 순이었다. 외국인이 좋아하는 한국 음식 중 1위는 삼겹살, 2위는 김치, 3위는 떡볶이, 4위는 비빔밥, 4위는 삼계탕이었다. 이 조사를 통해 한국인과 외국인 모두 김치와 비빔밥을 좋아한다는 것을 알 수 있었다.

쓰기	2번	23쪽

1) 좋아하는 한국 음식에 대해 설문 조사를 실시했다
2) 한국인과 외국인 모두 김치를 좋아하는 것을 알 수 있었다
3) 지역마다 김치에 들어가는 재료나 만드는 방법이 다양하다
4) 다양한 김치를 맛볼 수 있다
5) 외국인들도 매콤한 음식을 좋아한다는 것을 알 수 있었다

 채소부터 씻어서 썰어 놓자

어휘와 표현	1번	24쪽

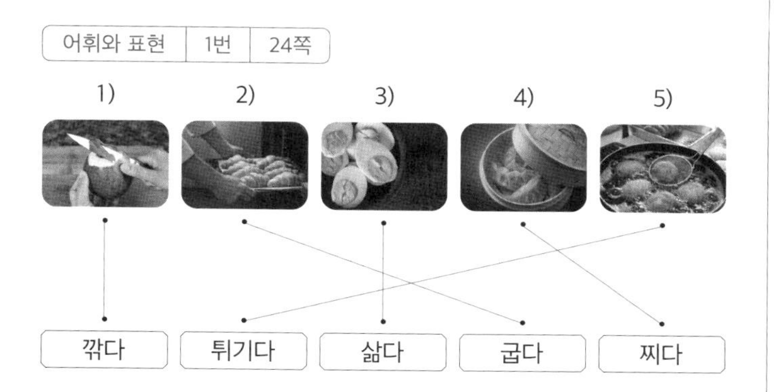

1) 깎아서
2) 굽는
3) 삶은
4) 쪄
5) 튀긴

어휘와 표현	2번	24쪽

1) 껍질을 벗기고
2) 썰어 놓아야
3) 끓이면
4) 튀겨서
5) 삶은

문법 1	1번	25쪽

사다	사 놓다	켜다	켜 놓다
보다	봐 놓다	고치다	고쳐 놓다
모으다	모아 놓다	만들다	만들어 놓다
찾다	찾아 놓다	굽다	구워 놓다
닫다	닫아 놓다	짓다	지어 놓다

문법 1	2번	25쪽

1) 유진 씨가 알려 준 요리 방법을 공책에 써 놓았어요
2) 등산 갈 때 필요해서 어제 친구한테서 카메라를 빌려 놓았어요
3) 방이 더워서 창문을 열어 놓았어요
4) 다음 달에 태어날 아이의 이름을 미리 지어 놓았어요

문법 1	3번	25쪽

1) ×
2) ×
3) ○
4) ○

문법 2	1번	26쪽

사다	산 다음에	볶다	볶은 다음에
보다	본 다음에	먹다	먹은 다음에
쓰다	쓴 다음에	만들다	만든 다음에
만나다	만난 다음에	굽다	구운 다음에
청소하다	청소한 다음에	공부하다	공부한 다음에

문법 2	2번	26쪽

1) 장마가 끝난 다음에는 날씨가 많이 더울 거예요
2) 학교를 졸업한 다음에 바로 취직을 했어요
3) 저는 퇴근한 다음에 한국어를 배우러 학원에 가요
4) 학교가 끝난 다음에 아르바이트를 하러 가야 돼요

문법 2	3번	26쪽

1) ×
2) ○
3) ○
4) ×

듣고 말하기	1번	27쪽

①

듣고 말하기	2번	27쪽

1) 김치볶음밥하고 라면 끓여 먹을까
2) 김치를 잘게 썰어 줘
3) 김치를 넣고 볶을까
4) 볶다가
5) 매운 라면

읽기	1번	28쪽

1) ④
2) ②

쓰기	1번	29쪽

비빔밥은 여러 가지 채소와 밥, 고추장을 넣고 섞어 먹는 음식인데, 채소를 많이 먹을 수 있어서 건강 음식으로 인기가 많다. 비빔밥을 만드는 방법도 간단해서 많은 사람들이 좋아한다. 먼저 밥을 짓고 비빔밥에 들어갈 재료들은 채를 썬다. 채 썬 재료는 프라이팬에 넣고 볶는다. 다 볶은 후에 따뜻한 밥 위에 올리면 비빔밥이 완성된다. 달걀프라이를 올리면 보기에도 좋고 맛도 더 좋아진다. 마지막으로 고추장을 넣어서 비벼 먹으면 되는데, 매운 음식을 안 좋아하면 고추장은 안 넣어도 된다.

쓰기	2번	29쪽

1) 고추장을 넣고 함께 섞어서 먹는
2) 넣는 재료에 따라서 이름을 붙이면 되니까
3) 비빔밥을 만드는 방법은 아주 간단해서 누구나 쉽게 만들어 먹을 수 있어요
4) 쌀을 씻어서 밥을 지은
5) 매운 음식을 안 좋아하면 고추장은 안 넣어도 되고요

05 딴생각을 하다가 버스를 놓쳐 버렸어요

어휘와 표현	1번	29쪽

1) 지각하다
2) 깜빡하다
3) 딴생각을 하다
4) 잃어버리다
5) 깨뜨리다

어휘와 표현	2번	29쪽

1) 늦잠을 잤다
2) 지각을 했다
3) 깜빡하고
4) 놓고 온 것이
5) 한눈을 팔다가

문법 1	1번	31쪽

1) 교통사고가 난 것을 보자마자 경찰에 신고했어요
2) 매일 아침에 일어나자마자 샤워를 해요
3) 월급을 받자마자 백화점에 쇼핑하러 갔어요
4) 퇴근하고 집에 오자마자 잠이 들었어요
5) 동생은 밥을 먹자마자 누워서 잠이 들었어요

문법 1	2번	31쪽

1) 일어나자마자
2) 먹자마자
3) 열자마자
4) 어두워지자마자
5) 추워지자마자

문법 2	1번	32쪽

가다	가 버리다	끊다	끊어 버리다
먹다	먹어 버리다	바르다	발라 버리다
만들다	만들어 버리다	하다	해 버리다
듣다	들어 버리다	잡다	잡아 버리다
눕다	누워 버리다	앉다	앉아 버리다

문법 2	2번	32쪽

1) 늦잠을 자서 학교에 늦어 버렸어요
2) 파일을 저장하지 않았는데 컴퓨터가 꺼져서 파일이 지워져 버렸어요
3) 동생과 이야기하다가 화가 많이 나서 방에서 나와 버렸어요
4) 다리가 아픈데 의자가 없어서 길거리에 앉아 버렸어요

문법 2	3번	32쪽

1) 그럼요. 끊어 버렸어요.
2) 네. 제가 다 먹어 버렸어요.
3) 아니요. 놀아 버렸어요.
4) 미안해요. 돈을 다 써 버렸어요.

듣고 말하기	1번	33쪽

①

듣고 말하기	2번	33쪽

1) 왜 이렇게 늦었어
2) 버스를 타자마자 알아서
3) 자꾸 딴생각을 해
4) 결국 잃어버렸어
5) 실수하지 않게 우리 같이 정신 차리자

읽기	1번	34쪽

1) • 머피의 법칙: 안 좋은 일이 일어나면 계속 안 좋은 일이 일어나는 것이에요.
   • 샐리의 법칙: 좋은 일이 일어나는 날은 계속 좋은 일이 일어나는 것이에요.
2) ④

쓰기	1번	35쪽

'머피의 법칙'은 안 좋은 일이 일어나면 계속 안 좋은 일이 일어나는 것이고, '샐리의 법칙'은 좋은 일이 일어나는 날은 계속 좋은 일이 일어나는 것을 말한다. 이 두 법칙에 대해 인터넷 사이트에서 회사원들에게 설문 조사를 했다. 조사 결과 '머피의 법칙'은 '약속이 있는 날에 꼭 야근하는 것', '지각하는 날 버스와 엘리베이터가 더 안 오는 것', '잠시 딴짓하자마자 상사에게 들키는 것' 등이 있었고, '샐리의 법칙'은 '집에서 늦게 출발했는데 회사에 일찍 도착하는 것', '지각했는데 상사가 없을 때', '회의 준비를 덜 했는데 오히려 칭찬 받을 때' 등의 순으로 나타났다.

쓰기	2번	35쪽

1) '머피의 법칙'은 안 좋은 일이 일어나면 계속 안 좋은 일이 일어나는 걸 말하고
2) '약속이 있는 날에 꼭 야근하는 것'이에요
3) '열심히 일하다가 잠시 딴짓하자마자 상사에게 들키는 것'이
4) '지각했는데 마침 상사가 없을 때'예요

5) '회의 준비를 덜 했는데 오히려 칭찬 받을 때'가

06 제가 좀 참을걸 그랬어요

어휘와 표현 | 1번 | 36쪽

1) 오해하다
2) 말실수하다
3) 용서하다
4) 화해하다
5) 후회하다

어휘와 표현 | 2번 | 36쪽

1) 오해했어요
2) 후회했어요
3) 사과했어요
4) 다툴 뻔 했어요
5) 화해할 수 있었어요

문법 1 | 1번 | 37쪽

시원하다	시원했었다	작다	작았었다
살다	살았었다	많다	많았었다
춥다	추웠었다	아프다	아팠었다
오다	왔었다	먹다	먹었었다
크다	컸었다	운전하다	운전했었다

문법 1 | 2번 | 37쪽

1) 어릴 때는 꿈이 참 많았었는데 지금은 하고 싶은 것이 많이 없어요
2) 작년 여름 방학에는 제주도에 여행을 갔었는데 올해는 집에만 있어요
3) 3년 전에는 이 동네에 아무것도 없었었는데 지금은 건물이 아주 많아요
4) 몇 년 전 여름은 너무 더웠었는데 이번 여름은 많이 안 덥네요

문법 1 | 3번 | 37쪽

1) 아팠었어요
2) 했었어요
3) 피웠었어요
4) 먹었어요

문법 2 | 1번 | 38쪽

사다	살걸 그랬다	읽다	읽을걸 그랬다
공부하다	공부할걸 그랬다	만들다	만들걸 그랬다
바르다	바를걸 그랬다	보다	볼걸 그랬다
기다리다	기다릴걸 그랬다	넣다	넣을걸 그랬다
닫다	닫을걸 그랬다	돕다	도울걸 그랬다

문법 2 | 2번 | 38쪽

1) 친구의 생일 파티에 갈걸 그랬어요
2) 코트를 입을걸 그랬어요
3) 우산을 가져올걸 그랬어요
4) 방문을 닫고 노래를 부를걸 그랬어요

문법 2 | 3번 | 38쪽

1) 다른 음식을 먹을걸 그랬어요
2) 가방을 사지 말걸 그랬어요
3) 다른 영화를 볼걸 그랬어요
4) 일찍 잘걸 그랬어요

듣고 말하기 | 1번 | 39쪽

②

듣고 말하기 | 2번 | 39쪽

1) 뭐 잘못한 일 없어요
2) 뭘 잘못했나요
3) 한참을 기다렸었는데 그 뒤로 연락이 없었잖아요
4) 제가 미리 연락할걸 그랬네요
5) 그런 줄 알았으면 다른 약속을 잡을걸 그랬네요

읽기 | 1번 | 40쪽

1) ④
2) ④

쓰기 | 1번 | 41쪽

친한 친구와 함께 공부를 하다가 사소한 일로 싸운 뒤로 말을 안 하고 있습니다. 계속 친하게 지내고 싶어서 화해를 하고 싶은데 어떻게 해야 할지 모르겠습니다. 제가 먼저 화를 내서 먼저 화해를 하고 싶은데 연락을 하려니까 기분도 조금 이상하고 사과를 안 받아 줄 것 같아서 걱정도 됩니다. 어떻게 해야 하는지 알고 싶습니다.

쓰기 | 2번 | 41쪽

1) 사소한 일로 화를 내고 싸웠어요
2) 어떻게 먼저 화해를 해야 할지 잘 모르겠어요
3) 그때 좀 참을걸 그랬어요
4) 제 사과를 안 받아 줄 것 같아서 걱정도 되고요

07 캠핑을 같이 간다거나 친목 모임을 해요

어휘와 표현 | 1번 | 42쪽

1) 회원을 모집하다
2) 친목을 다지다
3) 정보를 공유하다
4) 모임을 하다
5) 동호회에 가입하다

어휘와 표현 | 2번 | 42쪽

1) 모임을 한다고
2) 정보를 공유하고
3) 친목을 다진다고
4) 가입해야겠다고
5) 회비를 낸다고/회비를 내야 한다고

문법 1 | 1번 | 43쪽

운동하다	운동해 가지고	보다	봐 가지고
크다	커 가지고	연습하다	연습해 가지고
좋다	좋아 가지고	많다	많아 가지고
입다	입어 가지고	착하다	착해 가지고
싫다	싫어 가지고	바쁘다	바빠 가지고

문법 1 | 2번 | 43쪽

1) 돈을 모아 가지고 여행을 갈 거예요
2) 한국어 공부를 해 가지고 한국 회사에 취직할 거예요
3) 이 드라마가 재미있어 가지고 매일 봐요
4) 요즘 너무 바빠 가지고 친구를 못 만났어요

문법 1 | 3번 | 43쪽

1) 어제 인형을 사 가지고
2) 나는 불고기를 만들고
3) 마리 씨는 운동을 좋아해 가지고
4) 커피를 마시고

문법 2 | 1번 | 44쪽

힘들다	힘들다거나	전화하다	전화한다거나
듣다	듣는다거나	입다	입는다거나
착하다	착하다거나	재미있다	재미있다거나
슬프다	슬프다거나	읽다	읽는다거나
먹다	먹는다거나	만들다	만든다거나

문법 2 | 2번 | 44쪽

1) 저는 주말에 보통 책을 읽는다거나 산책을 해요
2) 도서관에서는 큰 소리로 떠든다거나 전화를 하면 안 된다
3) 요즘은 온라인으로 회의를 한다거나 수업을 하는 일이 많아졌다
4) 날씨가 추우면 옷을 두껍게 입는다거나 실내에만 있는 것이 좋아요

문법 2 | 3번 | 44쪽

1) 요즘 재미있는 일이 있다거나 흥미로운 일이 있어요
2) 저는 요리하기 귀찮을 때 볶음밥을 만든다거나 라면을 만들어요
3) 수업 시간에 잠을 잔다거나 친구와 이야기하면 안 돼요
4) 친절하지 않다거나 음식이 맛없는 식당은 가기 싫어요

듣고 말하기 | 1번 | 45쪽

③

듣고 말하기 | 2번 | 45쪽

1) 캠핑 동호회 모임에 갈 준비는 다 했어요
2) 캠핑 용품에 대해 이야기한다거나 정보를 공유하고 그런 거지요
3) 새로운 회원이 와서 반가워 가지고 주노 씨를 좋아할 거예요
4) 사실 저도 기대가 많이 돼요
5) 좋은 사람들도 많이 만나고 정보도 같이 공유해요

읽기 | 1번 | 46쪽

1) ②
2) ③

쓰기 | 1번 | 47쪽

늘푸른 산악회 회원을 모집합니다. 같이 등산을 하면서 아름다운 자연을 보고 건강한 몸을 만들 수 있습니다. 등산을 해 본 적이 없어도 괜찮습니다. 저희 산악회는 편한 등산로를 천천히 같이 올라갑니다. 또 등산 전문가가 안전하고 재미있는 등산을 할 수 있도록 도와줄 것입니다. 한 달에 두 번 모임을 하고 회비는 2만 원입니다. 산악회 모임에 한번 와 보세요.

쓰기 | 2번 | 47쪽

1) 아름다운 자연을 생생하게 두 눈에 담고, 가슴으로 느낄 수 있습니다
2) 등산을 하면 아름다운 자연도 볼 수 있고 건강한 몸도 만들 수 있습니다
3) 등산을 해 본 적이 없어서 걱정입니까
4) 혼자 못 따라 걷는다거나, 혼자서만 심심할 것 같다거나
5) 등산 전문가가 함께 걸으며 여러분이 안전하고 재미있는 등산을 할 수 있도록 도와줄 것입니다

08 일하느라고 바빠서 오랫동안 못 갔어요

어휘와 표현	1번	48쪽

1) 둘러보다
2) 붐비다
3) 이국적이다
4) 볼거리가 많다
5) 색다르다

어휘와 표현	2번	48쪽

1) 붐빈다
2) 이국적인
3) 자연 경관이 뛰어나다
4) 볼거리가 많은
5) 색다른

문법 1	1번	49쪽

1) 운전을 하느라고 문자를 못 봤어요
2) 어제 밤늦게까지 책을 읽느라고 잠을 못 잤어요
3) 주말에도 집안일을 하느라고 못 쉬었어요
4) 파티에서 먹을 음식을 모두 직접 만드느라고 너무 힘들었어요
5) 오후 내내 회의를 하느라고 잠시도 쉴 시간이 없었어요

문법 1	2번	49쪽

1) 아침에 늦게 일어나서
2) 사고가 나서 병원에 가느라고
3) 휴대폰이 고장 나서
4) 날씨가 추워서

문법 2	1번	50쪽

1) 크고 깨끗하기는요
2) 부지런하기는요
3) 힘들기는요
4) 맵기는요
5) 바쁘기는요

문법 2	2번	50쪽

1) ①
2) ②
3) ①
4) ②

듣고 말하기	1번	51쪽

③

듣고 말하기	2번	51쪽

1) 휴가 계획 세웠어요
2) 일하느라고 바빠서 오랫동안 고향에 못 갔다고 하더라고요
3) 볼거리가 정말 많아서 좋았어요
4) 저도 기대가 많이 돼요
5) 서울에도 가고 다른 도시에도 가 보려고요

읽기	1번	52쪽

1) ①
2) ①

쓰기	1번	53쪽

저는 이번 휴가에 신도, 시도, 모도라는 세 개의 섬에 가려고 해요. 짧은 일정으로 갈 수 있고, 대중교통을 이용해서 갈 수 있는 곳이라서 이곳으로 가기로 했어요. 휴가 기간이 짧고 가까운 곳으로 가려고 하고, 혼자서 여행을 가는 것이라 대중교통을 이용하려고 해요. 신도는 시도, 모도와 다리로 연결되어 있어서 자전거를 타고 둘러볼 수 있어요. 섬까지 버스와 배를 타고 가고, 섬에서는 자전거를 빌려서 여행할 거예요. 천천히 섬을 둘러보고, 해수욕장에도 갈 거예요. 해변에 누워서 책도 읽고 바다에 들어가서 수영도 하려고 해요.

쓰기	2번	53쪽

1) 짧은 일정으로도 갈 수 있는 곳
2) 대중교통을 이용해서 갈 수 있는 곳으로
3) 가까운 곳으로 휴가를 가 보자고 생각했어요
4) 대중교통을 이용하는 것이 더 저렴하기도 해서요
5) 터미널에서 배를 탄 후 신도에 갈 수 있다고 하더라고요
6) 해변에 누워서 책도 읽고 바다에 들어가서 수영도 할 거예요

09 두 사람이 많이 부러운 모양이에요

어휘와 표현	1번	54쪽

1) 상견례
2) 축가
3) 주례
4) 청첩장
5) 축의금

어휘와 표현	2번	54쪽

1) 상견례를 한다
2) 청첩장을
3) 혼인 서약을 한다
4) 주례가
5) 신랑 신부가 행진을 한다

문법 1 | 1번 | 55쪽

가다	가는 모양이다	보다	보는 모양이다
좋다	좋은 모양이다	작다	작은 모양이다
입다	입는 모양이다	자다	자는 모양이다
기쁘다	기쁜 모양이다	피곤하다	피곤한 모양이다
살다	사는 모양이다	따뜻하다	따뜻한 모양이다

문법 1 | 2번 | 55쪽

1) 오늘 피곤한 모양이에요
2) 기분 좋은 일이 있는 모양이에요
3) 아직 자는 모양이에요
4) 비가 오는 모양이에요

문법 1 | 3번 | 55쪽

1) ①
2) ①
3) ①
4) ②

문법 2 | 1번 | 56쪽

1) 민수 씨 친구가 불렀는데 가수같이 잘 부르더라고요
2) 네. 정말 남매같이 닮은 것 같아요
3) 맞아요. 마음이 바다같이 넓어요
4) 맞아요. 정말 아이같이 해맑게 웃어요
5) 네. 정말 많이 친해져서 이제는 가족같이 지내요

문법 2 | 2번 | 56쪽

1) ①
2) ②
3) ②
4) ①

듣고 말하기 | 1번 | 57쪽

②

듣고 말하기 | 2번 | 57쪽

1) 결혼식 잘 다녀왔어요
2) 신혼여행 가서 사진도 보내 줬는데 한번 볼래요
3) 신혼여행이 아주 즐거운 모양이에요
4) 요즘같이 날씨가 좋을 때는 어디를 가도 즐거울 것 같아요
5) 주말에 가까운 데라도 다녀오세요

읽기 | 1번 | 58쪽

1) ①
2) ④

쓰기 | 1번 | 59쪽

예전에는 결혼식장이나 호텔에서 결혼식을 많이 했다. 결혼식장은 모든 것이 준비되어 있어 편리하기 때문이다. 하지만 시간이 정해져 있고 가격이 비싸다는 문제가 있다. 그래서 요즘은 소수의 하객만 초대해 결혼식을 오래 즐기는 하우스 웨딩, 스몰 웨딩이 인기이다. 또한 주례 없는 결혼식의 선호도가 높아지고 있다. 주례사 대신 신랑 신부가 혼인 서약을 읽고 부모님이나 친구가 편지를 읽거나 덕담을 해 준다. 신랑, 신부를 잘 아는 사람들의 이야기가 더 의미 있다고 생각하기 때문이다. 그래서 젊은 세대들은 자유롭고 특별한 결혼식을 선호할 전망이다.

쓰기 | 2번 | 59쪽

1) 한국의 결혼식 문화가 달라지고 있다
2) 소수의 하객만 초대하여 결혼식을 진행하는
3) 주례 없는 결혼식에 대한 선호도가 높아지고 있다
4) 부모님이나 친구가 편지를 읽거나 덕담을 한다

10 떡국을 한 그릇 다 먹었더니 배가 불러요

어휘와 표현 | 1번 | 60쪽

1) 덕담을 하다
2) 차례를 지내다
3) 소원을 빌다
4) 달맞이를 하다
5) 세배를 하다

어휘와 표현 | 2번 | 60쪽

1) 고향에 돌아간다
2) 떡국을
3) 세배를 한다
4) 세뱃돈을
5) 덕담을 한다

문법 1 | 1번 | 61쪽

1) 네. 지난주에 봤는데 재미있던데요
2) 아까 교실에 가 보니까 오늘은 왔던데요
3) 입어 보니까 생각보다 크던데요
4) 제가 생각한 것보다 어렵던데요
5) 맞아요. 아까 보니까 벌써 꽃이 피었던데요

문법 1	2번	61쪽

1) 높던데요
2) 피곤해 보이던데요
3) 재미있던데요
4) 어렵던데요

문법 2	1번	62쪽

읽다	읽었더니	만들다	만들었더니
쓰다	썼더니	돕다	도왔더니
마시다	마셨더니	청소하다	청소했더니
운동하다	운동했더니	듣다	들었더니
보다	봤더니	부르다	불렀더니

문법 2	2번	62쪽

1) 요즘 운동을 시작했더니 몸이 가벼워요
2) 오늘 교실에 일찍 왔더니 아무도 없었어요
3) 어젯밤에 슬픈 영화를 보고 울었더니 눈이 많이 부었어요
4) 머리를 짧게 잘랐더니 친구들이 잘 어울린다고 했어요

문법 2	3번	62쪽

1) 부모님께서 한국에 오셔서
2) 동생이 어제 매운 음식을 먹어서
3) 삼계탕을 먹어 봤더니
4) 친구가 고향으로 돌아가서

듣고 말하기	1번	63쪽

①

듣고 말하기	2번	63쪽

1) 설날 잘 보냈어요
2) 특별한 경험이었어요
3) 처음 먹어 봤는데 맛있던데요
4) 음식을 많이 먹었더니 살이 조금 찐 것 같아요
5) 세뱃돈도 받았어요

읽기	1번	64쪽

1) ①
2) ④

쓰기	1번	65쪽

추석은 가을 저녁, 가을의 달빛이 가장 좋은 밤이라는 의미가 있다. 또한 가을의 한가운데 있는 날로, '한가위'라고도 부른다. 추석에는 깨, 밤 등을 쌀가루 반죽 안에 넣어 둥글게 빚어 찐 송편을 먹는데 솔잎을 밑에 깔고 쪄서 송편이라는 이름이 붙었다. 추석은 농사가 잘 되게 해 준 것에 대한 감사와 내년의 풍년을 기원하는 명절이다. 모든 것이 풍성하고 즐거운 놀이를 하면서 보내는 날이기 때문에 "더도 말고 덜도 말고 한가위만 같아라."라는 말이 생기기도 하였다.

쓰기	2번	65쪽

1) 한국의 대표적인 명절 중 하나인 추석은
2) 가을의 한가운데 있는 날로, 추석을 '한가위'라고 부르기도 한다
3) 추석에 먹는 대표적인 음식은 송편이다
4) 내년의 풍년을 기원하는 마음을 담아 보내는

11 자격증 준비나 외국어 공부도 미리 해 두면 좋을 거야

어휘와 표현	1번	66쪽

1) 자기 소개서
2) 적성
3) 이력서
4) 이직하다
5) 자격증

어휘와 표현	2번	66쪽

1) 적성에 맞는
2) 이력서와
3) 자기 소개서를
4) 인턴십을
5) 면접에서도

문법 1	1번	67쪽

닮다	닮아 가다	변하다	변해 가다
먹다	먹어 가다	쓰다	써 가다
만들다	만들어 가다	알다	알아 가다
정리하다	정리해 가다	끝나다	끝나 가다
모으다	모아 가다	완성하다	완성해 가다

문법 1	2번	67쪽

1) 아, 거의 도착해 가요
2) 거의 끝나 가요
3) 네. 이제 거의 다 먹어 가요
4) 네. 저 이제 거의 다 읽어 가요
5) 괜찮아요. 이제 거의 다 해 가요

문법 1	3번	67쪽

1) 일해 왔어요
2) 만들어 왔어요
3) 써 왔어

문법 2	1번	68쪽

쓰다	써 두다	받다	받아 두다
알다	알아 두다	보다	봐 두다
만들다	만들어 두다	세우다	세워 두다
말하다	말해 두다	고치다	고쳐 두다
정리하다	정리해 두다	예약하다	예약해 두다

문법 2	2번	68쪽

1) 내일 어머니 생신이라 미리 선물을 사 두려고요.
2) 건너편 골목길에 세워 두었어요.
3) 손님들 오시기 전에 열심히 청소해 두었어요.
4) 아, 걱정 마세요. 제가 미리 예약해 두었어요.
5) 네. 제가 조금 전에 에어컨을 켜 두었어요.

문법 2	3번	68쪽

1) ①
2) ②
3) ②
4) ①

듣고 말하기	1번	69쪽

②

듣고 말하기	2번	69쪽

1) 요즘 취업 준비 잘 돼 가요
2) 면접을 몇 번 해 보니 경력을 쌓아 두는 게 중요하겠다는
3) 자격증도 따 두고요
4) 적당한 인턴 자리를 찾아봐야겠어요

읽기	1번	70쪽

1) ③
2) ①

쓰기	1번	71쪽

선호하는 직장 조건에 대한 설문 조사 결과 세대별로 그 결과가 다르게 나타났다. 20~30대의 경우 '월급'이라는 응답이 44%로 가장 많았으며, '복지 제도'가 28%, '자유로운 분위기'가 13%, '개인의 발전'이 10%, '평생직장'이 5%로 그 뒤를 이었다. 반면 40~50대도 '월급'이라고 응답한 사람이 44%로 가장 많았으나, 이어 '평생직장'이 29%, '복지 제도' 12%, '승진 기회' 10%, '자부심'이 5% 순으로 응답해 차이를 보였다. 조사 결과 두 세대 모두 경제적인 요인은 중요하게 여기지만 20~30대는 자신의 삶의 질에, 40~50대는 삶의 안정성을 중요하게 생각하는 것을 알 수 있다.

쓰기	2번	71쪽

1) 세대별로 선호하는 직장의 조건이 다른 것으로 밝혀졌다
2) 20~30대는 전체 응답자 중 44%가 월급이 가장 중요하다고 답했으며
3) 조사 결과 두 세대 모두 경제적인 요인을 가장 중요하게 생각하고 있는 것은 동일하지만
4) 요즘 젊은 세대들은 자신의 가치나 삶의 방향에 따라 직장을 바꾸는
5) 자신의 삶을 더욱 소중하게 생각하기 때문에

12 한국으로 유학을 가려고 준비하는 중이에요

어휘와 표현	1번	72쪽

1) 등록금
2) 생활비
3) 수강 신청
4) 부동산
5) 장학금

어휘와 표현	2번	72쪽

1) 집을 구하려고
2) 수강 신청
3) 장학금을
4) 생활비를
5) 아르바이트도

문법 1	1번	73쪽

1) 이 노트북은 디자인이 예쁘기는 한데 조금 무거워요
2) 매운 음식을 잘 먹기는 하는데 좋아하지 않아요
3) 유학 생활이 힘들기는 한데 재미있어요
4) 오늘 모임에 가기는 하는데 집에 일찍 올 거예요
5) 기숙사 방이 좁기는 한데 혼자 살아서 괜찮아요

문법 1	2번	73쪽

1) ②
2) ②
3) ①
4) ①

문법 2	1번	74쪽

1) 지금 고민하는 중이에요
2) 아직 발표 자료를 만드는 중이에요
3) 아, 잠깐만요. 지금 듣는 중이에요
4) 미안해요. 지금 회의하는 중이에요
5) 요즘 유학 준비하는 중이에요

문법 2	2번	74쪽

1) ②
2) ①
3) ①
4) ②

듣고 말하기	1번	75쪽

②

듣고 말하기	2번	75쪽

1) 유학 준비는 어떻게 돼 가
2) 전공을 정하기는 했는데
3) 유학원에 전화도 해 보고, 사이트도 검색해 보고
4) 서류는 모두 준비해 놓고 면접 준비하는 중이야

읽기	1번	76쪽

1) ①
2) ④

쓰기	1번	77쪽

이번에 한국대학교 한국어과 면접을 본 학생입니다. 다른 사람에게 도움이 되고자 후기를 남깁니다. 면접은 대기실에서 기다리다가 한 명씩 강의실에 들어가서 봅니다. 면접관은 세 명이 있었습니다. 대학교 지원 동기와 성격, 졸업 후 계획을 물어보셨습니다. 면접은 편안한 분위기로 진행되었습니다. 잘 몰라도 자신감 있게 대답을 했는데, 오늘 오후에 합격 소식을 들었습니다.

쓰기	2번	77쪽

1) 따뜻한 차를 마시거나 옆 사람이랑 간단한 대화라도 하시는 것을 추천합니다
2) 지원 동기와 성격, 졸업 후 계획이 무엇인지 물어보셨습니다
3) 준비를 많이 못 해서 간단하게만 대답했습니다
4) 면접은 편안한 분위기에서 진행이 되었던 것 같아요

자료 출처

3B

※ 이 교재는 산돌폰트 외 Ryu 고운한글돋움OTF, Ryu 고운한글바탕 OTF 등을 사용하여 제작되었습니다. Ryu 고운한글돋움OTF, Ryu 고운한글바탕OTF 서체는 서체 디자이너 류양희 님에게서 제공 받았습니다.

| 셔터스톡 |

스피커 아이콘

연필 아이콘

4과 24쪽_1번, 2번, 3번, 4번, 5번; 5과 34쪽_1번 6과 40쪽_1번

부록 79쪽

세종한국어 | 익힘책 3B

기획	국립국어원	박미영	학예연구사
	국립국어원	조 은	학예연구사
집필	책임 집필	이정희	경희대학교 국제교육원 교수
	공동 집필	박진욱	대구가톨릭대학교 한국어문학과 조교수
		손혜진	고려대학교 국제한국언어문화연구소 연구교수
		김윤경	부산외국어대학교 한국어문화교육원 교사
		이정윤	계명대학교 국제사업센터 한국어학당 강사
	집필 보조	고정대	대구가톨릭대학교 국어국문학과 박사과정
		심지연	고려대학교 교양교육원 초빙교수
		정성호	경희대학교 국어국문학과 박사수료
		서유리	경희대학교 국어국문학과 박사과정

발행 국립국어원
주소: (07511) 서울특별시 강서구 금낭화로 154
전화: +82(0)2-2669-9775
전송: +82(0)2-2669-9727
누리집: www.korean.go.kr

초판 1쇄 발행 2022년 9월 1일
초판 2쇄 발행 2023년 11월 10일

편집・제작 공앤박 주식회사
주소: (05116) 서울특별시 광진구 광나루로56길 85, 프라임센터 3411호
전화: +82(0)2-565-1531
전송: +82(0)2-6499-1801
누리집: www.kongnpark.com / www.BooksOnKorea.com (구매)

총괄	공경용
편집	이유진, 김세훈, 이진덕, 여인영, 김령희, 성수정, 최은정, 함소연
영문 편집	Sung A. Jung, Paulina Zolta, Kassandra Lefrancois-Brossard
디자인	오진경, 서은아, 이종우, 이승희
삽화	강승희, 곽명주, 박가을, 이재영, 정원교
관리·제작	공일석, 최진호
IT 자료	손대철
마케팅	윤성호

ISBN 978-89-97134-35-9 (14710)
ISBN 978-89-97134-21-2 (세트)